MATTHEW D'ANCONA

PÓS-VERDADE

A NOVA GUERRA CONTRA OS FATOS EM TEMPOS DE FAKE NEWS

Tradução: Carlos Szlak

Faro Editorial

COPYRIGHT © MATTHEW D'ANCONA, 2017
FIRST PUBLISHED AS *POST-TRUTH: THE NEW WAR ON TRUTH AND HOW TO FIGHT BACK* BY EBURY PUBLISHING. EBURY PUBLISHING IS PART OF THE PENGUIN RANDOM HOUSE GROUP OF COMPANIES.
COPYRIGHT © FARO EDITORIAL, 2018

Todos os direitos reservados.
Nenhuma parte deste livro pode ser reproduzida sob quaisquer meios existentes sem autorização por escrito do editor.

Diretor editorial **PEDRO ALMEIDA**
Preparação **TUCA FARIA**
Revisão **GABRIELA DE AVILA**
Capa e diagramação **OSMANE GARCIA FILHO**

Dados Internacionais de Catalogação na Publicação (CIP)
(Câmara Brasileira do Livro, SP, Brasil)

D'Ancona, Matthew
  Pós-verdade / Matthew D'Ancona ; [tradução Carlos Szlak]. — 1. ed. — Barueri : Faro Editorial, 2018.

  Título original: Pos truth.
  ISBN 978-85-9581-017-4

  1. Estados Unidos – Política e governo – Século 21 2. Grã-Bretanha – Política e governo – Século 21 3. Comunicação de massa 4. Negação do holocausto 5. Verdade e falsidade I. Título.

18-13284   CDD-177.3

Índice para catálogo sistemático:
1. Verdade e falsidade : Ética 177.3

1ª edição brasileira: 2018
Direitos de edição em língua portuguesa, para o Brasil, adquiridos por FARO EDITORIAL

Avenida Andrômeda, 885. Sala 310.
Alphaville – Barueri – SP – Brasil
CEP: 06473-000 – Tel.: +55 11 4208-0868
www.faroeditorial.com.br

Em memória de minha mãe,
Helen d'Ancona (1937-2014),
que durante toda a vida falou a verdade.

SUMÁRIO

9   INTRODUÇÃO À EDIÇÃO BRASILEIRA

PREFÁCIO
13 QUASE MORTE, PÓS-VERDADE

CAPÍTULO 1
19 "QUEM SE IMPORTA?":
A CHEGADA DA ERA DA PÓS-VERDADE

19   O BREXIT, TRUMP E A NOVA AUDIÊNCIA POLÍTICA

32   VERDADE SAINDO, EMOÇÃO ENTRANDO

CAPÍTULO 2
41 "VOCÊ NÃO É CAPAZ DE LIDAR COM A VERDADE!":
AS ORIGENS DA ERA DA PÓS-VERDADE

41   O COLAPSO DA CONFIANÇA

46   A ASCENSÃO DA INDÚSTRIA DA DESINFORMAÇÃO

50   BEM-VINDO AO BAZAR DIGITAL

54   NOTÍCIAS FALSAS

CAPÍTULO 3

61 CONSPIRAÇÃO E NEGAÇÃO: OS AMIGOS DA PÓS-VERDADE

61 A PARANOIA ASSUME O PRIMEIRO PLANO

68 QUEM PRECISA DA CIÊNCIA?

73 ANTISSEMITISMO E NEGAÇÃO DO HOLOCAUSTO
NA ERA DIGITAL

CAPÍTULO 4

83 O COLAPSO DA PEDRA FILOSOFAL: PÓS-MODERNISMO, IRONIA E A ERA DA PÓS-VERDADE

83 O PODER DAS IDEIAS

84 PÓS-MODERNISMO, BOM E MAU

88 FERRUGEM SOBRE O METAL DA VERDADE
E SUAS CONSEQUÊNCIAS

92 MOTIVOS PARA SE ANIMAR

CAPÍTULO 5

99 "O FEDOR DAS MENTIRAS": ESTRATÉGIAS PARA DERROTAR A PÓS-VERDADE

99 SEM VOLTAR PARA TRÁS

101 O ESPECTRO DO ESCRUTÍNIO

103 TECNOLOGIA, CURA-TE A TI MESMA

109 FATOS NÃO SÃO SUFICIENTES

113 SUPERE A NARRATIVA

119 TÃO VERDADEIRO E ENGRAÇADO COMO PARECE

121 A VERDADE, SE FORMOS CAPAZES DE MANTÊ-LA

131 NOTAS

141 AGRADECIMENTOS

INTRODUÇÃO À EDIÇÃO BRASILEIRA

HÁ ALGUMAS DÉCADAS EXISTE, NO BRASIL, A TRADIÇÃO anual do chamado "hit do verão", música que dominará as festas, praias, rádios e programas de auditório durante a estação praieira nacional. Não seria absurdo afirmar que, com o advento das mídias sociais, surge de tempos em tempos um "hit do verão das ideias". Foi o que aconteceu, a partir da segunda metade do ano de 2016, sobretudo depois do chamado "Brexit" e da vitória de Donald Trump nas eleições presidenciais norte-americanas, com a "pós-verdade", apontada indistintamente como sintoma, causa e consequência daqueles dois eventos e de outros semelhantes. Mas se o hit do verão dura no máximo até a próxima estação, a pós-verdade, pelo menos enquanto fenômeno sociológico, parece destinada a perdurar por muitos carnavais. É prudente, pois, ir um pouco além das polêmicas de internet e tentar entender, de fato, o que ela significa. É isto o que faz Matthew d'Ancona em *Pós-verdade: A nova guerra contra a verdade e como reagir*.

Pós-verdade não é a mesma coisa que mentira. Os políticos, afinal, mentem desde o início dos tempos. O que a pós-verdade traz de novo "não é a desonestidade dos políticos, mas a resposta do público a isso.

A indignação dá lugar à indiferença e, por fim, à convivência (ver página 34)." Massacrado por informações inverossímeis e contraditórias, o cidadão desiste de tentar discernir a agulha da verdade no palheiro da mentira e passa a aceitar, ainda que sem consciência plena disso, que tudo o que resta é escolher, entre as versões e narrativas, aquela que lhe traz segurança emocional. A verdade, assim, perde a primazia epistemológica nas discussões públicas e passa a ser apenas um valor entre outros, relativo e negociável, ao passo que as emoções, por outro lado, assumem renovada importância. Na base do fenômeno, argumenta d'Ancona, está o colapso da confiança nas instituições tradicionais, pois "todas as sociedades bem-sucedidas dependem de um grau relativamente alto de honestidade para preservar a ordem, defender a lei, punir os poderosos e gerar prosperidade (ver página 42)".

Para os brasileiros, *Pós-verdade*, o livro, é ainda mais relevante do que é para o público inglês e norte-americano, a quem originalmente se destina. Pois não terá escapado ao leitor atento que as características da pós-verdade que d'Ancona e outros estudiosos apontam como fenômeno inédito e surpreendente na Inglaterra e nos Estados Unidos são o mesmo material de que se constitui a história do Brasil. Se elas definem a pós-verdade, então, parafraseando um antigo chiste, pode-se afirmar que o Brasil foi da mentalidade mitopoética à da pós-verdade sem passar pela era da verdade.

Não deixa de ser curioso que d'Ancona mencione, como exemplo prototípico da cultura da pós-verdade, a atual campanha antivacinação em voga nos EUA. Pois o Brasil é aquele país em que houve uma revolta popular, a Revolta da Vacina de 1904, contra a vacinação e a favor da varíola. D'Ancona cita ainda, como um dos motivos da descrença generalizada nas instituições, os gastos exorbitantes dos políticos britânicos: tudo trocado perto das cifras que os brasileiros estão acostumados a encontrar associadas aos políticos do país. Também não podemos ignorar que, se a base de toda sociedade próspera é a confiança, a da nossa é a Lei de Gerson, a tentativa de levar vantagem sobre todos, da qual os escândalos de corrupção são apenas o aspecto mais visível. Quanto à primazia das emoções na nossa vida pública, ela é tal, que a narrativa padrão de uma das eleições mais importantes da nossa história, a de 2002, foi a de que "a esperança venceu o medo". E o valor relativo que damos à verdade não deixa de se fazer presente no melhor da nossa literatura de ficção. Um dos personagens mais queridos do nosso teatro é o Chicó, de *O Auto da Compadecida*, de Ariano Suassuna. Sua marca é contar as histórias mais estapafúrdias e inverossímeis. Quando lhe perguntam como aquilo é possível, responde: "Não sei, só sei que foi assim". Mais pós-verdade impossível. Se as manchetes correntes e os prognósticos para as eleições de 2018 indicam algo, é que esse estado de coisas, de passado tão glorioso, tem também futuro promissor.

Nas sociedades ocidentais, a primazia da verdade como valor cultural e árbitro das questões públicas é, em grande medida, lembra d'Ancona, resultado do Iluminismo. Assim, não é coincidência que tal primazia pareça nunca ter chegado ao Brasil. O Iluminismo é uma das marcas definidoras da Modernidade e esta, segundo os estudiosos, nunca fincou raízes por aqui.

Por isso, este livro tem uma dupla utilidade para nós. Por um lado, ele explica o advento da pós-verdade naquelas sociedades e o perigo que ela apresenta para uma sociedade como a nossa, que sequer chegou a conhecer uma era da verdade. Por outro, ajuda a entender certos aspectos do nosso passado, sendo a única forma de modificar o nosso futuro.

OS EDITORES

PREFÁCIO

QUASE MORTE, PÓS-VERDADE

EM SETEMBRO DE 2016, O ANJO DA MORTE ESBARROU EM mim. Basta dizer que uma úlcera perfurada, em combinação com uma sepsia abdominal, não é uma boa notícia. Ou, em outras palavras, ainda bem que só vi as taxas de mortalidade depois de sair do hospital.

Tive muita sorte, embora sentisse culpa pela preocupação que causei a meus familiares. Também senti profunda gratidão pelos médicos que me salvaram e ajudaram-me a recuperar-me mais rápido do que o previsto de início. Maravilhei-me com a ciência médica, que me trouxe de volta da beira do precipício: porque esse é exatamente o lugar em que estão os "especialistas" — tantas vezes criticados atualmente — de que precisamos.

Parafraseando o dr. Johnson*, posso dizer que essas experiências concentram a mente. Após receber alta, meu único objetivo profissional era voltar ao jornalismo para cobrir a eleição presidencial

---

* Samuel Johnson (1709-1784), conhecido como dr. Johnson, foi poeta, ensaísta, moralista, biógrafo, crítico literário e lexicógrafo inglês. (N.T.)

norte-americana de 8 de novembro.[1] Assim como a maioria dos comentaristas políticos, eu esperava a vitória de Hillary Clinton, mas tinha certeza de que a indicação de Donald Trump como candidato à presidência pelo Partido Republicano era mais do que uma anomalia, uma espécie de dobra no tecido político que seria desamassada em pouco tempo. A vitória de Trump tornou absurdo sustentar que se tratava de uma coisa como outra qualquer (embora alguns tenham tentado fazer isso). Fiquei pasmo por meus filhos adolescentes, nenhum dos quais partidário de Trump, não terem ficado muito surpresos com o resultado. A geração deles intuiu uma mudança no ar que a minha, de modo geral, não foi capaz.

Mas que mudança? Sem escapatória, Trump caminha com arrogância pelas páginas deste livro como uma pantera cor de cenoura. Mas ele não é o personagem principal. Assim como este livro não trata da extrema-direita nem de nenhuma ideologia específica. É bastante óbvio imaginar um equivalente de esquerda de Trump se agitando e subindo ao poder em uma onda de mentira e populismo impostor. O problema é mais profundo.

Meu tema é epistemológico. Ou seja, relacionado ao conhecimento, sua natureza e sua transmissão. Especificamente, investigo o valor declinante da verdade como moeda de reserva da sociedade e a difusão contagiosa do relativismo pernicioso disfarçado de ceticismo legítimo. Se, de fato, vivemos em uma era de pós-verdade, onde estão suas raízes? Quais são seus principais sintomas? E o que podemos fazer a respeito?

De modo geral, compartilho a aversão de Saul Bellow pela "tagarelice da crise". Dito isso, há ocasiões em que é errado ficar em silêncio e adotar a pose de profissionalmente imperturbado. Após mais de 25 anos como jornalista, eu estaria traindo minha profissão se apoiasse a degradação do valor central do jornalismo — a exatidão — provocada por mascates e vendedores de "poções mágicas". Aqueles de nós que trabalham para a mídia impressa erram, mas também somos responsabilizados por nossos erros, e com razão. Então, o que acontece quando as mentiras não só proliferam como também parecem ter menos importância — ou até importância alguma?

Também sou curador do Science Museum, em Londres. Em seus salões e galerias, fruto do trabalho de sua notável equipe, parece uma afronta à maior revolução da história do conhecimento humano que estejam agora em circulação tanta falsificação, pseudociência e tolice médica. A noção de ciência como conspiração, em vez de um campo de investigação capaz de mudar o mundo, costumava se limitar aos excêntricos. Já não é mais assim. E isso, para mim, é intolerável.

Menciono esses detalhes porque este livro é basicamente um tratado pessoal, e não um manual desapaixonado. Não é um momento para histeria. Da mesma forma, não é hora de ser otimista ou ter a confiança presunçosa de que aquilo que chamamos de pós-verdade seja apenas a última moda sobre a passarela intelectual, que desaparecerá espontaneamente na insignificância.

Sem surpresa alguma, George Orwell oferece um texto para nossa época, e também para a dele — nesse caso, em seu ensaio de 1942 intitulado "Recordando a guerra civil". Orwell lembrou o sucesso assustador da propaganda fascista, sobretudo em relação à intervenção russa no conflito:

> Esse tipo de coisa é aterrorizante para mim, porque muitas vezes me dá a sensação de que o próprio conceito de verdade objetiva está desaparecendo do mundo. Afinal, há chances de essas mentiras, ou em todo caso mentiras semelhantes, passarem para a história. Como a história da guerra civil espanhola será escrita? Se Franco continuar no poder, pessoas nomeadas por ele escreverão os livros de história, (para ser fiel ao exemplo escolhido) aquele exército russo que nunca existiu se tornará um fato histórico, e gerações de estudantes aprenderão a respeito dele a partir daí. Mas suponha que o fascismo

seja finalmente derrotado e algum tipo de governo democrático se restabeleça na Espanha num futuro razoavelmente próximo; mesmo então, como a história da guerra será escrita? Que tipo de arquivo Franco deixará para trás? Suponha até mesmo que os arquivos mantidos pelo governo atual sejam recuperáveis – ainda assim, como uma história verdadeira da guerra será escrita? Pois, como já sublinhei, o governo também lidava amplamente com mentiras. Do ângulo antifascista, será possível escrever uma história verdadeira da guerra em termos gerais, mas seria uma história parcial, em cujos pontos secundários não se pode confiar. Ainda assim, no final das contas, algum tipo de história será escrito e, depois que aqueles que de fato se lembrarem da guerra estiverem mortos, será universalmente aceito. Então, para todos os efeitos práticos, a mentira terá se tornado verdade*.

Orwell reconhecia que não havia nada de novo na noção de parcialidade histórica. No entanto, ele afirma: "... o peculiar à nossa época é o abandono da ideia de que a história *pode* ser escrita de forma verdadeira."[2]

Foi uma premonição inicial da era da pós-verdade. O temor de Orwell era de que fosse o totalitarismo a força que destruiria a própria noção de veracidade. Como veremos, as pressões sobre a verdade hoje em dia são mais complexas, dispersas e traiçoeiras. No entanto, também são mais perturbadoras, porque não emanam de um identificável Grande Irmão, Goebbels ou *Izvestia***. Não há nenhuma estátua para ser derrubada.

---

* Trecho extraído do ensaio "Recordando a guerra civil", do livro *Lutando na Espanha*, de George Orwell, tradução de Ana Helena Souza, Editora Globo. Original de 1938 e tradução de 2006. (N.T.)
** Era o Diário Oficial da União Soviética. (N.T.)

Há outro motivo pelo qual é tão importante enxergar Trump como consequência, e não como causa. Sua saída do cargo político — independentemente de quando isso acontecerá — não marcará o fim da era da pós-verdade, e trata-se de um grave erro de análise pensar de outra forma. Não é uma batalha entre liberais e conservadores. É uma batalha entre duas maneiras de perceber o mundo, duas abordagens fundamentalmente distintas em relação à realidade: e, entre essas duas, você *tem* de escolher. Você se alegra ao ver o valor central do Iluminismo, das sociedades livres e do discurso democrático ser destruído por charlatães? Ou não? Você está em campo ou lhe basta estar sentado nas arquibancadas?

Apesar de toda a conversa a respeito de apatia e desmotivação da sociedade — parte dela justificada, parte não —, permaneço otimista. Acho que, apesar dos truques psicológicos que utilizamos em nosso proveito, no final das contas somos constituídos para requerer a veracidade e para resistir à falsidade. Há uma voz interior em nós que resiste às mentiras, ainda que essa voz tenha sido atenuada (por motivos que veremos). O desafio é convertê-la de um sussurro em um rugido. A verdade está por aí. Tomara que nós a exijamos.

MATTHEW D'ANCONA
Março de 2017

CAPÍTULO 1

"QUEM SE IMPORTA?": A CHEGADA DA ERA DA PÓS-VERDADE

O BREXIT*, TRUMP E A NOVA AUDIÊNCIA POLÍTICA

Para tudo há um tempo: 1968 teve início a grande revolução da liberdade pessoal e o desejo pelo progresso social; 1989 será lembrado pelo colapso do totalitarismo; e 2016 foi o ano que lançou a era da "pós-verdade" de forma definitiva. A natureza, as origens e os desafios dessa era são o que este livro procura abordar.

Entramos em uma nova fase de combate político e intelectual, em que ortodoxias e instituições democráticas estão sendo abaladas em suas bases por uma onda de populismo ameaçador. A racionalidade está ameaçada pela emoção; a diversidade, pelo nativismo; a liberdade, por um movimento rumo à autocracia. Mais do que nunca, a prática da política é percebida como um jogo de soma zero, em vez de uma disputa entre ideias. A ciência é tratada com suspeição e, às vezes, franco desprezo.

---

* Brexit: *Britain exit*, ou seja, plano que prevê a saída da Grã-Bretanha da União Europeia.

No cerne dessa tendência global está um desmoronamento do valor da verdade, comparável ao colapso de uma moeda ou de uma ação. A honestidade e a exatidão não são mais consideradas como a maior prioridade nas trocas políticas. Como candidato e presidente, Donald Trump depreciou a suposição de que o líder do mundo livre deve ter ao menos uma familiaridade oblíqua com a verdade: de acordo com o site PolitiFact, que checa informações e é ganhador do Prêmio Pulitzer, 69% das declarações de Trump são "predominantemente falsas", "falsas" ou "mentirosas"[1]. No Reino Unido, a campanha a favor da saída da União Europeia triunfou com *slogans* que eram comprovadamente não verdadeiros ou enganosos, mas também comprovadamente ressonantes.

Os sites conspirativos e a mídia social tratam com desdém os jornais impressos ou a grande mídia (*mainstream media* — MSM), considerando-os a voz desacreditada de uma ordem "globalista"; uma "elite liberal", cujo tempo já passou. Os "especialistas" são difamados como um cartel mal-intencionado, em vez de uma fonte de informações verificáveis. "Ouse saber" foi o lema proposto por Immanuel Kant para o Iluminismo. O congênere de hoje é: "Ouse não saber."

Não por acaso, em 2016, o Oxford Dictionaries escolheu "pós-verdade" como sua palavra do ano, definindo-a como forma abreviada para "circunstâncias em que os fatos objetivos são menos influentes em formar a opinião pública do que os apelos à emoção e à crença pessoal"[2]. Sua exata etimologia é contestada, embora haja um consenso geral de que foi utilizada pela primeira vez em 1992, na revista *The Nation*, em um artigo do escritor sérvio-norte-americano Steve Tesich. Segundo Tesich, os norte-americanos estavam tão traumatizados com Watergate, o caso Irã-Contras e outros escândalos, que começaram a dar as costas para a verdade e conspirar exaustivamente por sua supressão:

"QUEM SE IMPORTA?": A CHEGADA DA ERA DA PÓS-VERDADE

Estamos rapidamente nos tornando protótipos de um povo em que os monstros totalitários podem babar em seus sonhos. Todos os ditadores até agora tiveram de trabalhar duro para suprimir a verdade. Por meio de nossas ações, estamos dizendo que isso não é mais necessário, que adquirimos um mecanismo espiritual capaz de despojar a verdade de qualquer significado. De uma maneira bastante radical, como povo livre, decidimos livremente que queremos viver em um mundo da pós-verdade.

Em 2010, o blogueiro David Roberts examinou as últimas constatações da ciência política-acadêmica e chegou a conclusões semelhantes, mas de uma perspectiva distinta. Era reconfortante imaginar que os eleitores reuniam fatos, tiravam conclusões desses fatos, assumiam posições a respeito das questões com base em suas conclusões e escolhiam um partido político de forma correspondente. No entanto, o comportamento eleitoral não condizia com esse ideal. Na prática, Roberts escreveu, os eleitores escolhiam um partido com base em afiliações de valor, adotavam as opiniões da tribo, desenvolviam argumentos para apoiar essas opiniões e (só então) selecionavam fatos para reforçar essas alegações:

Vivemos na política da pós-verdade: uma cultura política em que a política (opinião pública e narrativas midiáticas) se tornou quase totalmente desconectada da formulação de políticas (a substância da legislação). Sem dúvida, isso turva qualquer esperança de compromisso legislativo fundamentado.[3]

Em 2016, as profecias de Tesich e Robert se materializaram com impactos espetaculares. A eleição de Trump como quadragésimo quinto presidente dos Estados Unidos e a triunfante campanha da saída do Reino Unido da União Europeia marcaram indubitavelmente um levante contra a ordem estabelecida e uma demanda por uma mudança mal definida: respectivamente, como "Tornar a América Novamente Grande" e "Reassumir o Controle". As duas vitórias anularam as previsões displicentes de *experts*, pesquisadores de opinião pública e agenciadores de apostas. As duas iluminaram a paisagem em transformação, cujo surgimento a classe política e midiática falharam em registrar. De modo mais ostensivo, ambas as insurreições refletiram um novo e alarmante colapso do poder da verdade como motor de conduta eleitoral. A tese do blog de Robert se tornou uma realidade geopolítica.

Donald J. Trump é venerado por seus partidários como um homem de negócios não contaminado pela política. Ele é aclamado como o mestre das transações, do balanço patrimonial e da relação qualidade-preço. No entanto, como primeiro presidente da pós-verdade, ele é muito mais bem percebido como um animador de auditório do que como um político ou magnata (que, apesar de tudo, pediu falência seis vezes).[4] Não por acaso ele twittou com tanta fúria ao ser ridicularizado no programa humorístico *Saturday Night Live* [*SNL*] e atacado por Meryl Streep na premiação do Globo de Ouro. Quando Arnold Schwarzenegger assumiu seu antigo papel como apresentador do reality show *O aprendiz*, Trump usou o Twitter para dar seu veredicto: "Uau, já chegaram os índices de audiência e Arnold Schwarzenegger os 'afundou' (ou destruiu) em comparação com a máquina de audiência DJT [as iniciais de Donald John Trump]". Mesmo durante sua vacilante transição para a presidência, o presidente eleito teve tempo para uma sessão de fotos com Kanye West.

Como membro do World Wrestling Entertainment Hall of Fame — por mais incrível que isso possa parecer —, Trump se envolveu, em 2007, no "WrestleMania" [maior evento de luta livre do mundo], num combate supostamente improvisado com Vince McMahon, presidente da franquia global de luta profissional avaliada em 1,5 bilhão de dólares. De forma memorável, Roland Barthes, filósofo francês, categorizou a luta livre como uma "soma de espetáculos".

"QUEM SE IMPORTA?": A CHEGADA DA ERA DA PÓS-VERDADE

Pode haver uma maneira melhor de descrever o comportamento desse presidente?

"Não há mais questões em relação à verdade na luta livre do que no teatro", Barthes escreveu, uma formulação que parece ameaçadoramente familiar na era da "pós-verdade". O desempenho é "episódico, mas sempre oportuno", apresenta uma "baixeza amorfa" e "a imagem sempre distrativa do resmungão, confabulando sem fim sobre seu desprazer". O espectador se diverte com a "magniloquência emocional, os paroxismos frequentes, a exasperação das réplicas"[5].

Para Trump, nada disso é uma distração: é essencial tanto para sua identidade, quanto para a percepção do público de uma audiência que consome entretenimento, em vez de um eleitorado civicamente engajado. Suas prioridades não são a política, os recursos humanos ou a diplomacia. Em vez disso, ele atribuiu um novo papel à presidência, como o papel mais cobiçado do *show business*, parte de uma série contínua que o levou de ringues de luta livre, via breves aparições em filmes, até o Salão Oval da Casa Branca. Streep e o elenco do *SNL* não são apenas seus inimigos, mas companheiros intérpretes: colegas e rivais. Nesse contexto, deve parecer ridiculamente antiquado abordar o governo como o forjamento de planos de ação política baseados em evidências e a busca de apoio político necessário para implantá-los. O que conta são os índices de audiência.

Esse é o motivo de o presidente ter ficado tão preocupado ao saber que sua cerimônia de posse teve um comparecimento menor de pessoas do que a de Obama, em 2009. Na manhã seguinte à cerimônia, Trump falou pessoalmente com Michael T. Reynolds, diretor interino do National Park Service, e exigiu imagens adicionais que questionassem aquela história que se espalhava. No mesmo dia, Sean Spicer, o novo secretário de imprensa da Casa Branca, convocou uma entrevista coletiva especial e insistiu de forma hostil que: "… foi a maior audiência de todos os tempos em uma cerimônia de posse, presencialmente e em todo o mundo, ponto-final." Em 2009, nas fotos, o público parecia maior, Spicer afirmou, porque o novo piso branco que revestia o National Mall teve o efeito de "destacar áreas onde as pessoas não estavam, ao passo que, nas posses anteriores, a grama eliminou esse visual". O governo Trump, ele advertiu, pretendia "cobrar responsabilidade da imprensa"[6].

Por mais irritados que Spicer e seu chefe pudessem estar, a posição deles era hilariante e insustentável. Coube a Kellyanne Conway, assessora do presidente, encontrar um modo de esquadrinhar o círculo epistemológico e fazer a conciliação da afirmação falsa com a prova fotográfica. No dia seguinte, no programa jornalístico *Meet the Press*, da rede NBC, Conway disse para Chuck Todd que havia uma explicação perfeitamente razoável: "Não seja tão radical em relação a isso, Chuck. Você está dizendo que é uma mentira [...], Sean Spicer, nosso secretário de imprensa, apresentou fatos alternativos a isso."[7]

Na realidade, não foi a primeira vez que um partidário de Trump apresentou um argumento desse tipo. Em dezembro de 2016, Scottie Nell Hughes, comentarista de tendência conservadora, sustentou que a percepção era tudo o que contava. "Em toda campanha, uma coisa interessante de se observar é que as pessoas dizem que fatos são fatos. Não são realmente fatos", ela afirmou no programa *The Diane Rehm Show*, da National Public Radio. "É como analisar índices de audiência ou um copo de água cheio pela metade. Todos têm uma maneira de interpretá-los como verdade ou não verdade. Infelizmente, fatos não existem mais."

Contudo, Conway era alta funcionária da Casa Branca, e não uma animadora de torcida midiática. Em uma única e curta declaração, ela não só reconheceu a alvorada da era da pós-verdade como a adotou. Em sua radiante celebração da intervenção de Spicer, deu forma popular ao conhecido dito de Nietzsche de que "não há fatos, apenas interpretações". O jornalista da NBC podia considerar a afirmação de Spicer uma mentira, mas, da perspectiva de Conway, era uma falta de compreensão das novas regras do debate político. Não havia realidade estável e verificável, apenas uma batalha incessante para defini-la:

seus "fatos" em contraste com os meus "fatos alternativos". O fundamental era se manter à frente nessa batalha. A vitória sempre esteve no cerne da política. Mas agora — se a máxima de Conway prevalecesse — seria a única coisa importante.

Inútil negar o papel que a psicologia e os instintos pessoais de Trump desempenharam nesse processo. Muito antes da candidatura presidencial, a relação do magnata com a verdade era desgastada, na melhor das hipóteses. De Roy Cohn, seu advogado, reparador de encrencas e confidente — e ex-promotor público chefe nas audiências anticomunistas do senador Joseph McCarthy —, Trump aprendeu que a "marca" tem mais importância que a contabilidade pública de fato e ficção, e que a busca insone por publicidade é muito mais importante que a cobertura objetiva sem erros. O que Cohn ensinou a Trump foi muito mais do que relações públicas tradicionais — o gerenciamento das notícias —, mas a criação de um mito moderno. Nesse jogo, os fatos eram um luxo e, frequentemente, algo irrelevante.[8]

Em seu best-seller *Trump: a arte da negociação*, escrito por um *ghost-writer*, Donald Trump refere-se em tom de aprovação à "hipérbole verdadeira" — um eufemismo, se alguma vez houve um. O que importa não é a veracidade, mas o impacto. Seu mordomo, Anthony Senecal, revelou que Trump, certa vez, afirmou que os azulejos no quarto das crianças em Mar-a-Lago, seu clube em West Palm Beach, foram pessoalmente desenhados por Walt Disney. Quando Senecal questionou essa história improvável, seu chefe respondeu: "Quem se importa?"[9]

O que Trump queria dizer era que a história importava mais que os fatos. E foi exatamente sobre essa base que ele fez sua campanha em 2016. Em vez de alimentar à força o eleitorado com um inventário de fatos e detalhes de seu currículo, ele bramiu uma narrativa que impôs, até certo ponto, uma ordem bruta sobre as complexidades mutáveis da vida moderna. Ele foi explicitamente desagregador ao prometer a proibição da imigração de muçulmanos, um muro ao longo da fronteira com o México, um retorno ao protecionismo econômico.

No entanto, esse foi o ponto: oferecer à grande massa de eleitores brancos uma série de inimigos contra quem eles poderiam se unir, uma história na qual seriam capazes de desempenhar um papel e um plano mítico de "Tornar a América Novamente Grande". O efeito foi narcótico, em vez de racional: melhor uma narrativa fantasiosa que parecia boa do que nenhuma. No centro dessa narrativa, estava o próprio Trump, um Gatsby sujo, cujo exibicionismo vulgar — bastante ridicularizado pela mídia — era exatamente o que tornava a história tão sedutora.[10]

A vitória o persuadiu de que, agora, ele estava mais ou menos liberado das restrições incômodas relativas aos fatos. Avancemos para a primeira entrevista coletiva de Trump como presidente, em que ele disse que alcançara "a maior vitória no colégio eleitoral desde Ronald Reagan". Ao ser corrigido por Peter Alexander, da rede NBC, que mostrou que, em 2008, Obama assegurara 365 votos — 61 a mais do que Trump —, o presidente resmungou: "Estou falando dos republicanos." Alexander respondeu que o republicano George H. W. Bush conquistara 426 votos, em 1988, e perguntou, com base nas afirmações falsas de Trump, por que os norte-americanos deveriam confiar nele. Aparentemente tranquilo, o presidente disse apenas: "Eu recebi essa informação. Na realidade, vi essa informação por aí. Mas foi uma vitória bastante substancial, você não concorda?."[11] Em outras palavras: quem se importa?

Assim, é tentador atribuir a ascensão da pós-verdade à ascensão de Trump. Tentador e errado. Se a culpa por essa crise de veracidade pudesse ser jogada sobre um único sociopata político, o problema poderia ser contido e limitado no tempo (nenhum presidente norte-americano cumpre mais do que dois mandatos de quatro anos). Porém, Trump é mais sintoma do que causa. Durante décadas, ele considerou concorrer à presidência e zombou disso de forma adequada. No entanto, como ele claramente intuiu, em 2016, sem dúvida alguma, as estrelas se alinharam em seu favor.

"QUEM SE IMPORTA?": A CHEGADA DA ERA DA PÓS-VERDADE

Trump também compreendeu que, guardadas as devidas proporções, a decisão do povo britânico de sair da União Europeia era um ensaio geral para sua futura vitória. Dias antes da eleição presidencial, ele previu que o resultado seria "Brexit mais, mais, mais"[12]. O que ele quis dizer foi que a insurgência britânica contra o establishment pró-união europeia corresponderia e seria superada pelo levante do povo norte-americano contra as elites fracassadas de Washington.

Mas os paralelos eram mais profundos. Arron Banks, o empresário que financiou a campanha Leave.EU, em favor da saída da União Europeia, estava correto em sua análise do resultado do referendo: "A campanha pela permanência na União Europeia apresentou fatos, fatos, fatos, fatos. Não funciona. Você tem de se ligar emocionalmente com as pessoas. Esse é o sucesso de Trump."[13] Aqueles que pressionavam pela permanência da Grã-Bretanha na União Europeia bombardeavam o público com estatísticas: a saída custaria 950 mil empregos no Reino Unido; o salário médio cairia para £ 38 por semana; cada família pagaria, em média, £ 350 a mais por ano em produtos básicos; £ 66 milhões por dia em investimentos dos países da União Europeia no Reino Unido estariam em risco; o custo da saída seria de £ 4,3 mil por família... e assim por diante.[14] Ficou fácil caricaturar essa torrente de dados indigeríveis como não mais do que uma série de afirmações arbitrárias.

O que os partidários do Brexit entenderam envolveu a necessidade de simplicidade e ressonância emocional: uma narrativa que dava significado visceral a uma decisão que talvez parecesse técnica e abstrata. Como Dominic Cummings, diretor de campanha do Vote Leave, favorável ao Brexit, sustentou na época: o argumento a favor da saída tinha de ser claro e se apegar a ressentimentos específicos do público. Uma mensagem baseada nas oportunidades de negócios proporcionadas pelo Brexit — "Go Global" — podia ser intelectualmente defensável, mas não ganharia votos. Uma pesquisa anterior realizada por Cummings sobre a possível adoção do euro pela

Grã-Bretanha revelou a potencial força de tração de uma promessa de "Reassumir o Controle".

Em segundo lugar, Cummings acreditava que o custo semanal de pertencer à União Europeia — supostamente £ 350 milhões — deveria aparecer em primeiro plano na campanha e, crucialmente, identificado como dividendo para o National Health Service (NHS — Serviço Nacional de Saúde). Em outras palavras, subvencionar médicos e enfermeiras, e não burocratas de Bruxelas (sede de importantes instituições da União Europeia). Em terceiro lugar, a campanha deveria apresentar o possível acesso da Turquia à União Europeia como um perigo claro e presente para o controle britânico da política de imigração. "Fiquei surpreso com o choque que foi para a campanha de permanência quando nós a atingimos com a Turquia", Cummings recordou mais tarde em um texto biográfico de um blog[15]. Surpreso ou não, ele estava certo de que a perspectiva de imigração — sobretudo da Turquia — iria mudar muitos votos e ajudar a levar a campanha a favor da saída a uma vitória histórica.

As analogias com o sucesso de Trump não são exatas, mas, como Banks entendeu, são bastante próximas. A rapidez com que os defensores do Brexit mudaram de posição a respeito das promessas que tinham vencido o referendo foi de tirar o fôlego. No programa jornalístico *Newsnight*, da BBC, um dia após o referendo, Daniel Hannan, membro do Parlamento Europeu pelo Partido Conservador inglês, negou que seu partido houvesse prometido ou insinuado que se daria uma redução drástica na quantidade de imigrantes. "Nunca dissemos que aconteceria algum declínio radical", ele disse, para surpresa de Evan Davis, apresentador do programa. "Nós queremos uma medida de controle."[16]

Posteriormente, ao defender sua posição pessoal, Hannan declarou: "Amigos, vejam o que eu disse em toda a campanha: está tudo no Twitter, no YouTube etc. Era por mais controle, e não por imigração mínima."[17] Essa pode ter sido pessoalmente a verdade de Hannan

— um político conhecido por sua integridade e seu intelecto —, mas não seria verdade dizer que o lado vencedor — o "Nós" ao qual Hannan se referiu — não incentivara a impressão de que a quantidade de migrantes entrando no país cairia.

Em 16 de junho, Nigel Farage, o então líder do Partido de Independência do Reino Unido (UKIP), divulgou um cartaz de uma longa fila de refugiados sírios incluindo o slogan "Ponto de Ruptura"[18]. A imagem foi amplamente repudiada, sobretudo por Boris Johnson, o porta-voz oficial mais proeminente da campanha favorável à saída da União Europeia, que declarou estar "profundamente triste"[19] com a situação. Sem dúvida, ele estava: o cartaz explicitava o que os outros preferiam só insinuar.

Os eleitores que apoiaram o Brexit procuravam o controle *com um propósito*. Sob distintos aspectos, as diversas campanhas a favor da saída da União Europeia ficaram satisfeitas por desencadear expectativas ascendentes entre aqueles que escolhiam jogar a culpa de seus infortúnios — reais ou imaginários — sobre os imigrantes. Portanto, foi cultivada a noção perniciosa de que a mobilidade social da população é um jogo de soma zero: aqueles que vêm para o Reino Unido são um bando de parasitas que privam os britânicos nativos de lugares nas escolas, moradias, empregos e assistência médica (todas são alegações imaginárias, desmascaradas em detalhes por Neli Demireva, da Universidade de Essex)[20]. Embora o ingresso da Turquia na União Europeia fosse uma possibilidade remota, na melhor das hipóteses — como deixa claro o mais recente relatório anual da Comissão Europeia a respeito de seu progresso —, conveio aos partidários do Brexit para atiçar medo em relação ao seu acesso e uma consequente onda de migrantes muçulmanos[21].

Foi a política da pós-verdade em seu estado mais puro: o triunfo do visceral sobre o racional, do enganosamente simples sobre o honestamente complexo. Não havia como essas expectativas a respeito de imigração serem alguma vez satisfeitas por um governo sério em relação ao crescimento econômico. Sempre existiriam setores em que migrantes qualificados da União Europeia seriam requeridos — enquanto este livro era escrito, havia 130 mil desses migrantes trabalhando no sistema de saúde e assistência social, e mais são necessários. De uma forma ou de outra, o resultado do referendo não fez diferença para as regras que governam a imigração de fora da União Europeia ou para as obrigações britânicas subordinadas à Convenção das Nações Unidas relativas ao Estatuto dos Refugiados. As forças globais que motivam a mobilidade populacional não seriam subjugadas pela saída do Reino Unido de uma organização supranacional.

A Grã-Bretanha jamais se tornará a pátria nativista que alguns imaginaram ou foram incentivados a imaginar: sempre permanecerá uma nação pluralista e heterogênea, que acolhe milhares de recém-chegados por mês. Mas os eleitores podem ser perdoados por pensarem de outra forma.

Não menos espúria foi a afirmação — que adornava a lateral do ônibus de campanha pela saída da União Europeia — de que o Brexit propiciaria £ 350 milhões por semana para o NHS, sempre carente de dinheiro. Em primeiro lugar, a promessa não levava em conta o abatimento recebido pela Grã-Bretanha: sua contribuição líquida semanal para a União Europeia era mais próxima de £ 250 milhões[22]. Após apontar o erro, o UK Statistics Authority, órgão do governo responsável por estatísticas, declarou: "Estou decepcionado por notar que continuam as sugestões de que o Reino Unido contribui semanalmente com £ 350 milhões para a União Europeia, e que toda essa quantia poderia ser gasta em outro lugar."[23] Mas a campanha a favor da saída da União Europeia prosseguiu, despudorada. Cummings insiste que Boris Johnson e Michael Gove, seu colega do movimento Leave, estavam "de acordo e determinados" a gastar essa quantia no serviço de saúde. Talvez eles tivessem se convencido de que essa transferência mágica de dinheiro iria acontecer: pós-verdade, como veremos, não é sinônimo de mentira.

"QUEM SE IMPORTA?": A CHEGADA DA ERA DA PÓS-VERDADE

Outros membros importantes do Vote Leave se alegraram bastante com o recuo em relação à promessa principal da campanha. Quatro dias após o referendo, Chris Grayling, o então líder da Câmara dos Comuns, reduziu-a a "uma aspiração"[24]. Iain Duncan Smith, outro importante partidário do Brexit, também se distanciou da afirmação até então inequívoca: "Eu nunca disse isso durante o desenrolar da eleição (*sic*). Os £ 350 milhões foram uma extrapolação dos £ 19,1 bilhões; esse é o montante total de dinheiro que damos para a União Europeia. O que realmente dissemos foi que uma quantia significativa disso iria para o NHS."[25] Claro que não era isso o que os eleitores eram levados a supor toda vez que viam o ônibus de campanha pró-Brexit na televisão ou que liam o twitte fixo de Matthew Elliott, diretor da campanha: "Vamos dar ao nosso NHS os £ 350 milhões que a União Europeia tira toda semana."[26]

Uma emenda apresentada à legislação por Chuka Umunna, membro do Parlamento pelo Partido Trabalhista, que desencadeava negociações que teriam testado o impacto de deixar o dinheiro no NHS foi posta de lado na Câmara dos Comuns. Cummings admite: "Teríamos ganho sem os £ 350 milhões/NHS? Toda nossa pesquisa e o resultado apertado sugerem enfaticamente que não." Contudo, a rapidez com que a promessa foi jogada fora sugere que, provavelmente, nunca teria sido honrada. Apropriando-se de uma distinção muitas vezes feita pelos partidários de Trump, foi, sem dúvida, um erro considerar a campanha pró-Brexit ao pé da letra, em vez de levá-la a sério.

Contra esse pano de fundo de promessas quebradas ou frágeis, poderíamos esperar que o entusiasmo com o Brexit caísse bastante com a passagem dos meses. Mas isso não aconteceu nem um pouco. De acordo com uma pesquisa do instituto Opinium, publicada em janeiro de 2017, 52% dos eleitores acreditavam que a Grã-Bretanha "tomou a decisão correta ao decidir sair da União Europeia"[27]. Algumas pesquisas de opinião, é verdade, refletiram preocupações acerca do provável conteúdo do acordo final. No entanto, mesmo quando as promessas de campanha pró-Brexit derreteram, houve pouco sinal de remorso dos eleitores. Em fevereiro, o apoio à estratégia do governo subira para 53%, e 47% disseram que achavam que a primeira-ministra Theresa May conseguiria o acordo certo para a Grã-Bretanha (em comparação com apenas 29% que acreditavam que May fracassaria)[28].

Um padrão semelhante se impôs nas primeiras semanas da presidência de Trump: embora ele continuasse impopular, as medidas que prometeu e adotou obtiveram apoio geral[29]. Algo que nos leva ao próprio cerne do fenômeno da pós-verdade.

VERDADE SAINDO, EMOÇÃO ENTRANDO

A mentira é parte integrante da política desde que os primeiros seres humanos se organizaram em tribos. Os antropólogos assinalam a importância do engodo em sociedades primitivas, sobretudo, mas não exclusivamente, quando lidavam com forasteiros[30]. Platão atribuiu a Sócrates a noção da "nobre mentira": um mito que inspira a harmonia social e a devoção cívica. No Capítulo XVIII de *O Príncipe*, Maquiavel recomenda ao governante ser "um grande fingidor e dissimulador".

Consideremos a experiência histórica norte-americana: seu ideal de honestidade política está enraizado em uma ficção. "Não posso contar uma mentira", George Washington teria dito quando confrontado por seu pai diante de uma cerejeira caída. "Eu a cortei com meu machado." No entanto, essa parábola foi uma invenção de Parson Mason Locke Weems, mitógrafo de Washington, que, casualmente, afirmou ser pastor de uma igreja que não existia[31].

Na cultura norte-americana, o complemento para a declaração (composta de algumas partes) do jovem Washington foi a afirmação de Nixon, em novembro de 1973: "Não sou um escroque."[32] O presidente Truman, porém, o descrevera desse modo sucinto: "Richard

Nixon é um cretino desprezível e mentiroso. Ele pode mentir com os dois lados da boca ao mesmo tempo, e se alguma vez ele se pegar falando a verdade, vai mentir só para não perder o hábito."[33] Barry Goldwater, candidato republicano derrotado na disputa presidencial de 1964, taxou-o desta forma: "Nixon é a pessoa mais desonesta que já conheci na minha vida."[34]

Nixon sabia muito bem o que o político que era pego mentindo podia esperar. Como ele advertiu a John Dean, seu assessor: "Se você for mentir, vai para a cadeia pela mentira, e não pelo crime. Então, acredite em mim: não minta jamais."[35] No entanto, ele não previu o que seus desmandos e suas mentiras provocariam na política norte-americana. Watergate, que acabou legando um sufixo para quase todo escândalo subsequente, drenou um país da fé em sua classe política, ameaçando a própria presidência e também derrubando a pessoa do presidente.

O carisma radiante de Ronald Reagan foi a saída de emergência através da qual seu partido, o Republicano, procurou escapar da era Nixon de uma vez por todas. No entanto, o próprio Reagan não era estranho à mentira. Por exemplo, ele afirmou que ajudou nas filmagens de campos de concentração e da libertação de seus prisioneiros, quando, na realidade, não saiu dos Estados Unidos durante a Segunda Guerra Mundial. Ainda mais conhecida é a forma pela qual Reagan finalmente admitiu o conteúdo do escândalo relacionado ao caso Irã-Contras: "Eu disse ao povo norte-americano que não troquei armas por reféns. Meu coração e minhas melhores intenções ainda me dizem que isso é verdade, mas os fatos e a evidência me garantem que não é."[36] Esse hiato entre sentimento e fato é pertinente para nossa própria época, como veremos. De fato, para o quadragésimo presidente não havia motivo óbvio para distinção entre os dois. Após corrigir a lembrança equivocada de certa pessoa de conhecê-lo quando ele era um jovem ator, Reagan expressou esse consolo revelador: "Você acreditou nisso porque quis acreditar. Não há nada de errado. *Faço isso o tempo todo.*"[37]

PÓS-VERDADE

Essas racionalizações podem aliviar a consciência presidencial, mas não fizeram nada para aliviar a cultura de desconfiança política, cujas raízes remontam ao Vietnã e a Watergate, e alcançaram seu auge no caso Monica Lewinsky e no subsequente pedido de impeachment de Bill Clinton. Ao declarar com grave veemência que não manteve relações sexuais com a srta. Lewinsky, Clinton maculou para sempre seu próprio currículo, mergulhou a república em uma crise que erodiu a pouca confiança que restava em seus políticos e condenou o sistema político norte-americano a uma polarização aparentemente inevitável[38].

Por séculos, e com certeza desde o Iluminismo, houve uma suposição incontestada de que mesmo a democracia mais sólida sofre danos quando seus políticos têm o hábito de mentir. Foi exatamente porque Tony Blair se apresentou — e foi visto pelos eleitores — como um "tipo bastante correto" que a controvérsia associada aos seus dossiês sobre a Guerra do Iraque lhe causou tantas dificuldades. Até hoje, Blair e Alastair Campbell, seu porta-voz, negam que esses documentos — a base para a participação britânica no conflito — eram "duvidosos", "apimentados" ou, de resto, falsificados. Não obstante, o político pop-star de 1997 veio a ser considerado por muitos como "Bliar" [trocadilho com seu nome; *liar* significa "mentiroso"] — uma força corrosiva para a política britânica, em vez do redentor do Partido Trabalhista. "Há essa grande questão da confiança"[39], Campbell registrou em seu diário, em julho de 2003 — uma observação perspicaz, mas lúgubre, a respeito da situação aflitiva que todos os políticos de todos os partidos vinham enfrentando.

No entanto, as mentiras, as manipulações e as falsidades políticas enfaticamente não são o mesmo que a pós-verdade. A novidade não é a desonestidade dos políticos, mas a resposta do público a isso. A indignação dá lugar à indiferença e, por fim, à conivência. A mentira é considerada regra, e não exceção, mesmo em democracias; como é o caso da Polônia, onde o partido nacionalista no poder, Prawo i Sprawiedliwość (Lei e Justiça), disseminou mentiras de modo

34

rotineiro a respeito de homossexuais, de refugiados que espalhavam doenças e da colaboração entre comunistas e anticomunistas[40]. Não esperamos mais que nossos políticos eleitos falem a verdade: isso, por enquanto, foi eliminado do perfil do cargo ou, no mínimo, relegado de forma significativa da lista de atributos requeridos.

Isso é bastante familiar em sociedades marcadas pelo totalitarismo no passado ou pela autocracia no presente. Em seu excelente ensaio *Nothing Is True and Everything Is Possible* a respeito da Rússia contemporânea, Peter Pomerantsev descreve o cansaço gerado por essas suposições:

> E quando você vai checar (por meio de amigos, da Reuters, de alguém ou algo que não seja a Ostankino [rede de tevê pró-Putin, controlada pelo Estado]) se são realmente fascistas assumindo o poder na Ucrânia ou se há crianças sendo crucificadas, você descobre que é tudo falso e que as mulheres que afirmaram ter visto isso são na realidade figurantes contratadas disfarçadas de "testemunhas oculares". No entanto, mesmo quando você sabe que toda a justificativa para a guerra do presidente é fabricada; mesmo quando você compreende que o motivo é criar uma nova tecnologia política para poupar o presidente todo-poderoso e esquecer da derrocada da economia; mesmo quando você sabe e entende que essas mentiras são contadas muitas vezes na Ostankino − depois de um tempo você se vê assentindo. Porque é difícil entrar na cabeça a ideia de que estão mentindo tanto e de maneira tão audaciosa o tempo todo. E, em certa medida, você acha que se a Ostankino pode mentir tanto e se dar bem, isso não significa que ela tem o poder real, o poder de definir o que é verdade e o que não é? Então, não seria melhor você simplesmente assentir?[41]

A mera exaustão pode tirar até mesmo o cidadão alerta de seu compromisso com a verdade. Mas o que toma seu lugar? Na Rússia de Putin, de acordo com Pomerantsev, é a resignação cognitiva, uma retirada de uma corrida aparentemente invencível. O que importa não é a ponderação racional, mas a convicção arraigada. De acordo com Alexander Dugin, cientista político e polemista (apelidado de o "Rasputin de Putin"): "a verdade é uma questão de crença. [...] Essa coisa de fatos não existe." Sem dúvida, não por acaso Dugin se mostrou tão influente entre a "direita alternativa" norte-americana — uma rede pouco coesa de nacionalistas, incluindo o escritório da Casa Branca de Stephen Bannon, estrategista-chefe de Trump, neonazistas e grupos de sobrevivencialistas[42]. Com Dugin, eles compartilham a crença de que a verdade é aquilo que você entende dela.

No Ocidente, é a conexão emocional — sempre parte da tomada de decisão política — que ameaça eclipsar nossa insistência herdada pela verdade como principal critério em disputas políticas. Michael Moore, documentarista e ativista de esquerda norte-americano, foi um dos poucos analistas a prever o resultado da eleição presidencial. Em seu filme *Michael Moore in Trumpland*, ele descreve os sentimentos que motivariam os eleitores a apoiar o subqualificado candidato republicano:

> Eles perderam seus empregos, os bancos executaram suas hipotecas, depois veio o divórcio, a mulher e os filhos foram embora e o carro foi retomado. Não tiram férias há anos e estão presos a planos de saúde de quinta categoria, em que não conseguem receber uma maldita oxicodona. Basicamente, perderam tudo o que tinham, exceto uma coisa [...], o direito de votar.

Embora permaneça uma controvérsia até que ponto o apoio dos "esquecidos" e despossuídos foi responsável pela vitória de Trump, Moore teve razão ao identificar uma demanda ressentida por mudança como a maior aliada do candidato republicano. O que o cineasta captou foi que o eleitorado não estava com disposição de ânimo para escutar sobre as qualificações de Hillary Clinton para o Salão Oval; ou, de modo oposto, prestar muita atenção àqueles que os advertiam sobre as mentiras, a intolerância e o amadorismo de Trump. Eles queriam enviar o maior "dane-se" da história humana. Segundo Moore: "Eles iriam se sentir *bem* por um dia ou uma semana. Talvez um mês."[43]

Trump nunca foi um candidato *simpático*. As pesquisas de opinião mostraram que os norte-americanos estavam perfeitamente conscientes de suas falhas de caráter. No entanto, Trump passou para eles uma empatia brutal, enraizada não em estatísticas, empirismos ou informações meticulosamente adquiridas, mas em um talento desinibido para a fúria, impaciência e atribuição de culpa. A afirmação de que ele era "franco" não significava — como poderia ter significado no passado — "ele está falando a verdade". Em 2016, queria dizer: "Esse candidato é diferente, e talvez resolva minhas ansiedades e esperanças."

A socióloga Arlie Russell Hochschild escreveu sobre a "história profunda" que sustenta as atitudes políticas e o comportamento social: "Uma história profunda é a história de *sentir como se*: é a narrativa dos sentimentos da história na linguagem dos símbolos. Ela elimina o julgamento. Elimina os fatos. Conta para nós como as coisas estão." Em suas viagens pelos campos pantanosos da Louisiana, recorrendo a muitas conversas, Hochschild desenterrou uma história que, segundo ela, moldou a maneira pela qual aqueles com quem ela conversou enxergavam e entendiam a América moderna. Era fundamentada em uma metáfora elaborada: "Você está pacientemente parado numa longa fila que leva colina acima, como em uma peregrinação. Você se encontra situado no meio dessa fila, junto com outras pessoas que também são brancas, mais velhas, cristãs e predominantemente do sexo masculino, algumas com curso superior, outras não. [No alto da colina] [...] está o sonho americano, o objetivo de todos que esperam na fila. [No entanto] [...] o sol está queimando e a fila não se move. De fato, está se movendo para trás!" Sua renda está estagnada ou caindo.

Há poucos empregos onde você mora. E então: *"Você vê pessoas furando a fila na sua frente!"* No relato de Hochschild, os homens e as mulheres na fila sentem que seguiram as regras, tornaram seu país grande, mas mesmo assim estão sendo prejudicados por mulheres, imigrantes, funcionários do setor público, refugiados e outros beneficiários do dinheiro dos pagadores de impostos, que "escoa rapidamente pelo coador da compaixão liberal"[44].

A investigação de Hochschild não é uma apologia, mas uma base para interpretação. O prisma da "história profunda" — nesse caso, a história da direita norte-americana no sul do país — é uma ferramenta inestimável na análise da era da pós-verdade. Explica o papel desempenhado pela narrativa — em contraste com dados desagregados — na conduta política e social.

Esse papel não é novo. Na maior parte da história humana, histórias tribais e mitologias compartilhadas fizeram mais para explicar o comportamento humano do que a avaliação fria da evidência verificável. Todas as sociedades possuem suas lendas fundadoras que as unem, moldam seus limites morais e habitam seus sonhos de futuro. Desde a Revolução Científica e o Iluminismo, porém, essas narrativas coletivas competiram com a racionalidade, o pluralismo e a prioridade da verdade como base para a organização social.

O que *é* novo é a extensão pela qual, no novo cenário de digitalização e interconexão global, a emoção está recuperando sua primazia, e a verdade, batendo em retirada. As forças que impulsionam essa retirada são o assunto do próximo capítulo. Contudo, o ressurgimento da narrativa emocional nas últimas décadas — sua centralidade renovada — é o corolário essencial.

Se o século xx foi a era do totalitarismo e de sua humilhante derrota, também foi a era da terapia e de sua sólida sobrevivência. Sigmund Freud reformulou a maneira pela qual a humanidade é vista e — independente da moda acadêmica — introduziu na corrente sanguínea popular uma série de ideias que se mostraram bastante resilientes.

"QUEM SE IMPORTA?": A CHEGADA DA ERA DA PÓS-VERDADE

Na psicanálise, os argumentos e os contra-argumentos são avaliados no nível patológico em referência a neuroses pessoais, e não no nível legal, de acordo com noções tradicionais de verdade e mentira. O imperativo é tratar o paciente com êxito, e não estabelecer fatos.

Confinada ao consultório, a terapia, no início, foi uma questão inteiramente privada. No entanto, o paradigma da terapia se espalhou para muito além desse cenário clínico e assumiu um papel dominante na cultura e nos costumes contemporâneos. Muito antes de os "memes" se tornarem "virais", a psicologia popular se alastrou pelo mundo e se alojou no público como um meio de tudo explicar.

As formas que essa conquista assumiu variam desde insights esclarecedores sobre a maneira como vivemos até psicologismos baratos que desculpam tudo e não explicam nada. Um exemplo da primeira categoria é a escola de economia comportamental, que lançou luzes sobre o papel dos impulsos psicológicos e sociais nas decisões econômicas[45]. Estreitamente relacionado a isso é o estudo da "inteligência emocional" — popularizado pelo psicólogo Daniel Goleman — e o papel desempenhado pelas competências emocionais, tais como empatia, autoconhecimento, autorregulação em liderança, desempenho no local de trabalho e relações sociais[46]. Baseados nesses insights, Drew Westen e Daniel Pink investigaram, respectivamente, o papel da emoção no comportamento político e a crescente importância do hemisfério direito do cérebro — responsável pela criatividade, inventividade e empatia — na era da automação[47].

Tão emancipador quanto foi o maior entendimento da emoção e dos impulsos psicológicos, isso também redefiniu as regras do jogo humano de maneiras nem sempre construtivas. O lendário psicólogo Bruno Bettelheim, inventor serial de seu próprio passado — atenção aqui —, deu modernidade a um de seus textos mais perniciosos, saudando "a necessidade e a utilidade de agir de acordo com as ficções que são sabidamente falsas"[48]. De acordo com essa afirmação, a necessidade emocional sobrepuja a adesão estrita à verdade. Aqueles que tergiversam não são melhores que Thomas Gradgrind, personagem de *Tempos difíceis*, de Dickens, em sua demanda sombria: "Agora, o que quero são Fatos. Ensine a esses garotos nada além de Fatos. Apenas os Fatos são desejáveis na vida." Não: o maior propósito da humanidade é fugir do literalismo e moldar a própria realidade de alguém.

Não é difícil perceber o quão egoísta esse axioma pode se tornar. Como David Brooks assinala em seu livro sobre os *baby boomers*, os nascidos entre o fim da Segunda Guerra Mundial e meados da década de 1960: "[Essa geração é] relativamente indiferente a mentiras ou transgressões que não parecem fazer mal evidente a ninguém. Ela preza as boas intenções e se dispõe a tolerar muita coisa daqueles cujos corações estão no lugar certo."[49] Ela embeleza seus registros militares, currículos e suas histórias sexuais.[50] Para essa coorte, a sinceridade emocional sempre foi a maior virtude — maior, em muitos casos, do que a dura busca da verdade objetiva preconizada pelos seus pais.

Não é que a honestidade esteja morta: o que os psicólogos denominam "viés da verdade" permanece um componente fundamental do caráter humano. Contudo, agora é percebido como uma prioridade entre muitas, e não necessariamente a maior. Compartilhar seus sentimentos mais profundos, moldar seu drama de vida, falar com o coração: essas buscas estão cada vez mais em disputa aberta com os discutíveis valores tradicionais. Como Ralph Keyes, um dos primeiros autores a fazer uma advertência sobre os perigos da pós-verdade, afirma: "[Muitos] adotaram uma postura terapêutica em que não se cobra a responsabilidade de ninguém em relação à desonestidade ou a muito de qualquer coisa."[51]

O risco é que uma proporção cada vez maior de julgamentos e decisões seja banida para o âmbito do sentimento, que a busca da verdade se torne um ramo da psicologia emocional, sem amarras ou fundações. Então, a questão é: como o ideal de veracidade ficou tão enfraquecido, tão estiolado, a ponto de concorrer de modo tão deficiente com o emocionalismo contemporâneo? O que aconteceu com a verdade?

CAPÍTULO 2

"VOCÊ NÃO É CAPAZ DE LIDAR COM A VERDADE!": AS ORIGENS DA ERA DA PÓS-VERDADE

O COLAPSO DA CONFIANÇA

"O povo deste país já está farto dos especialistas" — a declaração foi impressionante não só pela audácia, mas por quem a proferiu. Michael Gove, então secretário britânico da Justiça, era um dos membros mais intelectuais do gabinete de David Cameron, muito eloquente, cultivado e erudito. De todos os principais defensores do Brexit, ele era a última pessoa de quem alguém esperaria um ataque aos "especialistas". Mas foi exatamente isso o que ele fez em um programa de perguntas e respostas sobre o referendo transmitido pelo canal Sky News, em 3 de junho de 2016.

Meses após o referendo, Gove disse a Andrew Marr, da BBC, que as notícias a respeito de seu comentário foram "injustas", que era "manifestamente absurdo" sugerir que todos os especialistas estavam errados e que: "[Ele se referira] a uma subcategoria de especialistas, sobretudo economistas, pesquisadores de opinião pública, cientistas sociais, que precisam refletir sobre alguns erros que cometeram, da mesma forma que um político como eu refletiu sobre alguns erros que cometeu."[1]

No direito que estava de apresentar esse esclarecimento *ex-post facto*, o ataque original de Gove foi — como ele sem dúvida sabia — politicamente sagaz. Explorou um filão de desconfiança fundamental para a vitória do Brexit; uma crescente suspeita de que fontes tradicionais de autoridade e informação eram duvidosas, mercenárias ou até totalmente fraudulentas. A elite de Bruxelas não foi a única hierarquia ou instituição contra a qual os britânicos raivosos se ergueram no referendo.

Esse colapso da confiança é a base social da era da pós-verdade: todo o resto flui dessa fonte única e deletéria. Em outras palavras, todas as sociedades bem-sucedidas dependem de um grau relativamente alto de honestidade para preservar a ordem, defender a lei, punir os poderosos e gerar prosperidade. Como Francis Fukuyama observa em seu livro *Confiança — as virtudes sociais e a criação da prosperidade*, o capital social que se acumula quando os cidadãos cooperam de modo sincero e escrupuloso se converte em sucesso econômico e reduz os custos dos processos judiciais, da regulamentação e do cumprimento dos contratos[2].

Além da esfera comercial, a confiança é um mecanismo fundamental de sobrevivência humana, a base da coexistência que permite que qualquer relacionamento humano — de um casamento a uma sociedade complexa — funcione com algum grau de sucesso. Na década de 1990, Ted Goertzel, sociólogo da Universidade Rutgers, realizou uma pesquisa de opinião por telefone que revelou que aqueles inclinados a desconfiar dos outros também eram mais propensos a acreditar em teorias da conspiração[3]. Uma comunidade sem confiança acaba se tornando não mais do que um atomizado conjunto de indivíduos que tremem em suas paliçadas.

No entanto, nas últimas décadas, essa é a trajetória em que o mundo embarcou, quando uma série implacável de perturbações conspirou para esgotar as reservas restantes de confiança. A crise financeira de 2008 levou a economia mundial à beira do desastre, que só foi evitado pelos imensos e dolorosos resgates financeiros dos

"VOCÊ NÃO É CAPAZ DE LIDAR COM A VERDADE!": AS ORIGENS DA ERA DA PÓS-VERDADE

próprios bancos responsáveis pelo desastroso colapso. O Occupy Wall Street foi apenas a manifestação mais visível de uma indignação muito maior em relação ao fato de que algumas instituições eram "grandes demais para quebrar", enquanto as pessoas comuns pagavam o preço da recessão subsequente e dos cortes dos serviços públicos impostos pelos governos cientes do déficit.

A hostilidade à economia globalizada mudou das margens para o centro do discurso político. Tornou-se corriqueiro questionar um sistema econômico apresentado de início como fonte segura de crescente prosperidade e que, naquele momento, pareceu terrivelmente vulnerável aos caprichos de sua elite operacional e — talvez pior — ajustada para beneficiar aquele mesmo grupinho, enquanto os padrões de vida estagnavam ou caíam para os restantes 99%. Em grande parte, os contra-argumentos estatísticos em apoio à globalização agravaram a indignação. Os números apresentados em defesa do sistema não *pareciam* corretos[4].

Na Grã-Bretanha, em 2009, na sequência da crise financeira, veio a humilhação da classe política por conta do escândalo das despesas parlamentares. Em uma série de artigos notáveis, o *Daily Telegraph* expôs as práticas questionáveis que permitiram que os membros do Parlamento suplementassem seu salário oficial, cobrando tudo do pagador de impostos, incluindo limpeza de fossa, casa para patos de £ 1,6 mil, tampa para banheira e filmes pornográficos.

Havia muito tempo, os políticos eram objeto de suspeita. No entanto, as alegações de "corruptibilidade" contra os conservadores na década de 1990 e a acusação de que os governos trabalhistas entre 1997 e 2010 eram todos "enroladores" e sem substância foram apenas um ensaio geral desse espetáculo nacional extraordinário: por um lado, comédia; por outro, tragédia. Em 1986, apenas 38% dos entrevistados disseram que confiavam que os governos "colocavam as necessidades do país acima dos interesses de seu próprio partido político". Em 2014, esse número caiu para cerca de 18%. Naquele momento, a podridão ameaçava todo o processo democrático.

Enquanto isso, os escândalos no *show business* — sobretudo os crimes sexuais monstruosos de Jimmy Savile — arrastavam a BBC e outras instituições para a lama. Sem exagero, John Simpson, o admirado editor de assuntos internacionais da emissora, descreveu o caso Savile como a "pior crise" da BBC em cinquenta anos. Como ficou claríssimo, o falecido apresentador de *Top of the Pops* foi beneficiário de uma cultura de negligência institucional: aquilo que James Q. Wilson, em seu livro clássico *Bureaucracy*, chama de o problema da "atenção seletiva". Por exemplo: fechar os olhos, dar de ombros, investigações que não dão em nada. Independentemente das angústias sentidas pelo pessoal da BBC, a maioria dos funcionários não as relatou. Paradoxalmente, o acesso de Savile ao hospital psiquiátrico de segurança máxima de Broadmoor e à escola feminina de Duncroft era visto como evidência de seu impulso beneficente, em vez de algo verdadeiramente horripilante. Sem dúvida, Savile era protegido pelo estrelato e por sua notória propensão a ameaçar instaurar processos judiciais. Contudo, ele também dependeu da indiferença dos outros. De todo modo, mais uma vez, aos olhos do público, uma grande instituição se revelou deficiente.

Para o jornalismo impresso, a controvérsia sobre grampos telefônicos ilegais foi um desastre: forçou o fechamento do tabloide *News of the World*, o pedido de demissão de seu editor, Andy Coulson, assim como sua renúncia posterior como porta-voz do então primeiro-ministro David Cameron e a ampla investigação encabeçada por lorde Leveson, entre 2011 e 2012, sobre a conduta da imprensa. No momento da escrita deste livro, o regime regulatório ao qual as publicações britânicas se submeterão ainda não está resolvido. No entanto, nesse caso, há muito mais em jogo do que regras precisas (e variadas) às quais a imprensa se sujeitará.

Em 2003, a revelação pelo *New York Times* de que um de seus jornalistas, Jayson Blair, falsificara ou plagiara o conteúdo de 673 artigos ao longo de quatro anos obrigou o jornal a publicar uma análise de 14 mil palavras sobre sua má conduta. Não foi apenas um lapso de controle e avaliação editorial. O desastre representou uma ameaça mortal — evitada por pouco — a uma das grandes instituições da vida civil norte-americana. Sem dúvida, não é por acaso que o presidente Trump twitta rotineiramente que o *New York Times* está "falhando": ele sabe em quais organizações midiáticas mirar — as "marcas com auréola" — e quais procurarão verdadeiramente cobrar responsabilidade dele. Apesar de toda a conversa a respeito dos jornais impressos, porém, foi o *Washington Post* que forçou Trump a demitir Michael Flynn, seu conselheiro de Segurança Nacional, após apenas 24 dias da posse.

Da mesma forma, o trauma do escândalo britânico relativo aos grampos telefônicos — em combinação com as dificuldades financeiras da mídia impressa na era digital — colocou em perigo a confiança do público no próprio jornalismo, que é necessária mais do que nunca. A tarefa do populismo é simplificar a todo custo, comprimir fatos inconvenientes em uma forma preordenada ou excluí-los totalmente. O jornalismo tem como tarefas revelar a complexidade, a nuança e o paradoxo da vida pública, desmascarar a transgressão e — o mais importante de tudo — regar as raízes da democracia com um fornecimento constante de notícias confiáveis. Exatamente quando a confiança na mídia é mais requerida, ela, de acordo com pesquisas de opinião mundiais, caiu ao menor número de todos os tempos[5].

Vivemos em uma era de fragilidade institucional. As instituições da sociedade agem como anteparos. São os órgãos que encarnam seus valores e suas continuidades. Lançar luzes sobre seus fracassos, sua decadência e seu colapso absoluto é intrinsecamente perturbador. Mas isso não é tudo. A pós-verdade floresceu nesse contexto, quando os *firewalls* e os anticorpos (misturando metáforas) se enfraqueceram. Quando os supostos fiadores da honestidade vacilam, o mesmo acontece com a verdade. O filósofo A. C. Grayling talvez tenha razão ao identificar a crise financeira como o momento germinal que levou, em questão de anos, à era da pós-verdade. "O mundo mudou depois de 2008", ele disse à BBC, em janeiro de 2017 — e assim foi.[6]

A ASCENSÃO DA INDÚSTRIA DA DESINFORMAÇÃO

Se o fracasso institucional erodiu a primazia da verdade, também para isso contribuiu a indústria multibilionária da desinformação, da propaganda enganosa e da falsa ciência que surgiu nos últimos anos. Da mesma forma que pós-verdade não é simplesmente outro nome para mentira, essa indústria não tem nada a ver com as ações de *lobby* e as relações corporativas legítimas. Empresas, instituições beneficentes, grupos que fazem campanhas e figuras públicas têm todo o direito de buscar representação profissional no labirinto governamental e midiático. Tudo isso é parte da luta de foice associada à formulação de políticas, consultas e publicidade, e não é uma ameaça à estrutura cívica saudável.

Bem diferente, porém, é a difusão sistemática de mentiras por organizações de fachada que atuam a favor de grupos de interesse que desejam suprimir a informação precisa ou impedir que outros grupos ajam contra eles[7]. Como o jornalista investigativo Ari Rabin-Havt afirma: "Essas mentiras são parte de um ataque coordenado e estratégico, planejado para esconder a verdade, confundir o público e criar controvérsia onde nenhuma antes existia."[8]

Esse ataque tem suas raízes distantes no início das atividades, em 1954, da Tobacco Industry Research Committee [Comissão de Investigação da Indústria do Tabaco], organismo patrocinado pela própria indústria, criado em resposta à crescente ansiedade pública em relação ao vínculo entre o ato de fumar e as doenças pulmonares. O que tornou a comissão tão significativa foi a sutileza de seus objetivos. Ela não procurou vencer a batalha imediatamente, mas, sim, questionar a existência de um consenso científico. Foi projetada para sabotar a confiança do público e estabelecer uma falsa equivalência entre aqueles cientistas que detectaram uma ligação entre o uso do tabaco e o câncer de pulmão e aqueles que os desafiaram. O objetivo não era a vitória acadêmica, mas a confusão popular. Enquanto a dúvida pairasse sobre o caso contra o tabaco, o *status quo* lucrativo estaria garantido.

"VOCÊ NÃO É CAPAZ DE LIDAR COM A VERDADE!": AS ORIGENS DA ERA DA PÓS-VERDADE

Isso proporcionou aos negadores da mudança climática um modelo para suas próprias campanhas. Marc Morano, ex-assessor republicano que dirige o site ClimateDepot.com, fez esta afirmação: "[O engarrafamento de trânsito é] o maior amigo do cético do aquecimento global, porque isso é tudo o que realmente se quer. [...] Somos a força negativa. Estamos apenas tentando parar coisas." Prenunciando o ataque de Gove aos "especialistas", Morano admitiu que ser um leigo orientado ideologicamente é muitas vezes uma vantagem diante de um acadêmico: "A maioria dos cientistas que enfrentamos vai ficar em seu próprio mundo especializado ou área de *expertise* [...] muito hermético, muito difícil de entender, difícil de explicar e muito chato."[9]

Conclui-se daí que o truque é propiciar entretenimento disruptivo como distração da ciência laboriosa. A mídia, sobretudo os canais de notícias que ficam 24 horas no ar, está constantemente sedenta por confrontação, o que, muitas vezes, cria a ilusão de uma luta entre posições igualmente legítimas, o que Kingsley Amis denominou "neutralidade perniciosa"[10]. Sem dúvida, uma disputa desse tipo era o objetivo daqueles por trás do "Climategate": a divulgação, em 2009, de milhares de e-mails e arquivos hackeados de um servidor da Unidade de Pesquisas Climáticas da University of East Anglia (UEA). A genialidade daqueles que divulgaram o conteúdo foi selecionar frases e parágrafos que pareciam, coletivamente, sugerir um acobertamento acadêmico e um hiato humilhante entre o que os cientistas diziam em público e o que eles diziam uns aos outros em particular.

Por mais embaraçosos que os e-mails sem dúvida tenham sido — revelando momentos de exasperação e frustração —, eles não solaparam a ciência da mudança climática, como frequentemente se afirmou. Por exemplo: em uma mensagem, o dr. Kevin Trenberth, cientista do Instituto de Tecnologia de Massachusetts (MIT, na sigla em inglês), escreveu: "Não podemos explicar a falta de aquecimento no momento, e essa impossibilidade é chocante." Uma confissão bastante clara, certo? Não como transpirou. O "chocante" a que Trenberth de fato se referia era a ausência de "um sistema de observação adequado para rastrear [a mudança climática]". Em nenhum sentido ele estava desmentindo suas conclusões científicas sobre o aquecimento global, mas sim lamentando a falta de infraestrutura de que ele e seus colegas precisavam[11].

Relatório após relatório — da Universidade Estadual da Pensilvânia, de uma comissão parlamentar do Reino Unido, da Administração Oceânica e Atmosférica Nacional [NOAA, na sigla em inglês], de sites de checagem de informações e de uma investigação independente contratada pela própria UEA — descobriu que os arquivos não minaram o consenso científico a respeito de mudança climática, nem contestaram a integridade acadêmica dos cientistas envolvidos.

No entanto, o trabalho dos negadores já estava feito. De acordo com um levantamento da Universidade Yale, o apoio do público à ciência do aquecimento global caiu de 71% para 57% entre 2008 e 2010. Uma pesquisa de opinião britânica mais recente, publicada em 2017, sugeriu que 64% dos adultos britânicos acreditam que o clima está mudando, "principalmente devido à atividade humana". Esse número parece indicar uma maioria razoável. Contudo, considere os riscos: onze anos depois da publicação pelo governo britânico do Relatório Stern sobre os efeitos da mudança climática na economia, e nove anos depois que a Climate Change Act [Lei da Mudança Climática] transformou em lei as metas de redução de emissões, o público ainda não está convencido totalmente de que a própria sobrevivência da humanidade se encontra em risco.

Antes de sua eleição, Trump twittou: "O conceito de aquecimento global foi criado pelos chineses e para os chineses, para tornar o setor industrial norte-americano não competitivo." Desde que assumiu o cargo, ele se cercou de céticos do aquecimento global. O objetivo principal dos negadores — manter o *status quo* — nunca encarou melhores chances.

O insight deles, compartilhado pelos adversários da reforma do sistema de saúde nos Estados Unidos, é que a política pública baseada em evidências pode ser solapada pelo alinhamento de propaganda primorosa e predisposição ideológica. No caso do "Obamacare", foi o mito das "comissões da morte" que alcançou esse objetivo. Em agosto de 2009, em uma postagem no Facebook, Sarah Palin, ex-governadora do Alasca, disse que se as propostas de Obama para um sistema de saúde de preço acessível fossem postas em prática, grupos de avaliação constituídos por burocratas decidiriam se pacientes idosos ou crianças com doenças crônicas seriam "merecedores de assistência médica".

Era uma distorção grotesca do projeto de lei, que oferecia orientação voluntária aos pacientes do Medicare em relação a testamentos em vida, atendimentos de casos terminais e cuidados paliativos. Não existiam planos para "comissões da morte", nem nunca existiram. Contudo, a expressão teve intensa repercussão emocional e ideológica entre aqueles predispostos a desconfiar da reforma do sistema de saúde e interpretá-la como uma medida nada norte-americana e protossocialista. Uma semana após a postagem de Palin, quase 90% dos norte-americanos sabiam de sua advertência e três em dez disseram que acreditavam nela. De novo, a mentira prevaleceu. Ainda que a legislação final omitisse a cláusula de orientação, que fora excessivamente deturpada, a quantidade de norte-americanos apreensivos em relação às "comissões da morte" havia *crescido* em agosto de 2012[12].

Essas campanhas de desinformação prepararam o terreno para a era da pós-verdade. Invariavelmente, seu propósito é semear dúvida, em vez de triunfar de imediato no tribunal da opinião pública (em geral, um objetivo impraticável). Como as instituições que tradicionalmente atuam como árbitros sociais — juízes no gramado, por assim dizer — foram sendo cada vez mais desacreditadas, os grupos de pressão bem financiados estimularam o público a questionar a existência da verdade conclusivamente confiável. Assim sendo, a prática normal do debate antagônico é a metamorfose em um relativismo pernicioso, em que a caçada epistemológica não só é melhor do que a captura, mas é tudo o que importa. A questão é manter a discussão em andamento, para assegurar que nunca cheguem a uma conclusão.

BEM-VINDO AO BAZAR DIGITAL

A ascensão dessa indústria traiçoeira coincidiu com a metamorfose maciça da paisagem midiática e com a revolução digital. Na primeira década do século, a disponibilidade ao alcance de banda larga de alta velocidade transformou a internet do meio mais barato e mais rápido de publicação já inventado em algo que teria um impacto cultural, comportamental e filosófico muito mais profundo.

O que ficou conhecido como "Web 2.0" não era apenas um fenômeno tecnológico: substituiu as hierarquias pela recomendação par a par, as deferências pelas colaborações, os encontros agendados pelos *flash mobs*, a informação de propriedade particular pelo software de código aberto e o consumo passivo de mídia eletrônica pelo conteúdo gerado pelo usuário. Prometeu democratização numa escala sem precedentes[13].

E, sob vários aspectos, cumpriu a promessa. A depreciação em voga da revolução digital ignora os benefícios espantosos que ela trouxe à humanidade em questão de anos. Já é difícil imaginar um mundo sem smartphones, Google, Facebook ou YouTube, ou considerar (por exemplo) hospitais, escolas, universidades, agências de ajuda humanitária, instituições beneficentes ou a economia de serviços despojadas dessas ferramentas. O tecido conjuntivo da web é um dos maiores feitos da história da inovação humana. A única coisa mais notável do que o impacto dessa tecnologia é a velocidade com que chegamos a admitir isso como natural.

No entanto, como todas as inovações transformativas, a web é um espelho da humanidade. Junto com seus muitos méritos, também permitiu e acentuou o pior dos instintos do gênero humano, funcionando como universidade para terroristas e refúgio para trapaceiros.

Nesse ínterim, os mesmos gigantes da tecnologia que proveram o palco, o cenário e os objetos cênicos para esse drama global emocionante se tornaram os beneficiários de quantidades sem precedentes de informações sobre seus bilhões de atores: o assim chamado *"big data"*. Entre eles, o Google, a Microsoft, a Apple, o Facebook e a Amazon — os "Cinco Grandes" — superam por ampla margem todos os bancos de dados, sistemas de arquivos e bibliotecas que existiram na história humana. Em cada interação, postagem, compra ou busca, os usuários revelam algo mais a respeito de si mesmos; informação que se tornou a *commodity* mais valiosa do mundo.

Também se foi o tempo em que agregar dados era uma tarefa humana fatigante. Softwares como Hadoop e MapReduce da Google, plataformas de programação de código aberto, são capazes de digerir quantidades extraordinárias de dados para qualquer propósito imaginável. Muitos deles serão benignos: por exemplo, a identificação precoce de epidemias com base em padrões de busca. Contudo, o possível uso de *big data* para manipular mercados financeiros e processos políticos só agora está ficando claro.

Como sir Tim Berners-Lee, criador da World Wide Web, advertiu em sua carta para marcar o 28º ano de sua criação:

> O atual modelo de negócios de diversos sites oferece conteúdo gratuito em troca dos dados pessoais. Muitos de nós concordamos com isso – embora muitas vezes aceitando documentos com termos e condições longos e confusos –, mas, basicamente, não nos importamos que algumas informações sejam coletadas em troca de serviços gratuitos. No entanto, não estamos nos dando conta de um truque. Quando nossos dados são mantidos em silos de informação de propriedade particular, fora do alcance de nossa visão, perdemos os benefícios que poderíamos obter se tivéssemos controle direto desses dados e de escolher quando e com quem compartilhá-los. Além do mais, muitas vezes não temos nenhum modo de informar para as empresas os dados que preferiríamos não compartilhar – sobretudo com terceiros. Os termos e as condições são do tipo tudo ou nada.[14]

A linguagem era sóbria, mas a questão era clara. A web está em risco de se tornar — pode já ter se tornado — um trem descontrolado colidindo contra a privacidade, as normas democráticas e a regulação financeira.

Essa tecnologia também foi um motor muito importante, primordial e indispensável da pós-verdade. Nos primeiros anos da Web 2.0, muitos supuseram de forma otimista que a internet facilitaria o caminho para a cooperação e o pluralismo sustentável. Na prática, a nova tecnologia promoveu o amontoamento on-line e um refúgio em câmaras de eco. Como Barack Obama afirmou em seu discurso de despedida, em janeiro de 2017: "Nós nos tornamos tão seguros em nossas bolhas que começamos a aceitar apenas informações, verdadeiras ou não, que correspondem as nossas opiniões, em vez de basearmos nossas opiniões nas evidências que estão por aí." Apesar de suas maravilhas, a web tende a amplificar o estridente e dispensar a complexidade. Para muitos — talvez a maioria — estimula o viés de confirmação, e não a busca pela divulgação acurada.

Em seu livro sobre a verdade, o filósofo Bernard Williams caracterizou a internet deste modo:

> [Ela] apoia aquele esteio de todos os vilarejos: a fofoca. Constrói lugares de encontro que crescem com rapidez para a troca livre e desorganizada de mensagens que se caracterizam por uma variedade de afirmações fantasiosas, suspeitas, divertidas, supersticiosas, escandalosas ou maléficas. As chances de que muitas dessas mensagens sejam verdadeiras são baixas e a probabilidade de que o próprio sistema venha a ajudar alguém a distinguir as verdadeiras são até mais baixas.[15]

Como veremos em um capítulo posterior, essa profecia, proferida em 2002, subestimou a crescente capacidade da web de autocorreção. Mas sua advertência de cantonização on-line foi confirmada. Como em outros aspectos, a tecnologia digital pôs foguetes auxiliares sob instintos já existentes. Um desses é a tendência de "triagem homofílica"[16], ou seja, nosso impulso de congregação com aqueles com ideias afins. Até certo ponto, esse impulso sempre ditou nosso consumo midiático: no Reino Unido, os leitores de centro-direita há muito tempo gravitam em torno do *Daily Telegraph*, enquanto os de esquerda liberal preferem o *Guardian*. No entanto, os dois jornais também foram considerados como provedores confiáveis de notícias de boas fontes e informações precisas. Como C. P. Scott, editor do então *Manchester Guardian* de 1872 a 1929, declarou de forma memorável: "Os comentários são livres, mas os fatos são sagrados."

Ainda amplamente respeitada como princípio básico pela grande imprensa de qualidade, a distinção de Scott se perdeu no miasma on-line. A mídia social e os mecanismos de busca, com seus algoritmos e *hashtags*, tendem a nos dirigir para o conteúdo de que vamos gostar e para as pessoas que concordam conosco. Muitas vezes, rejeitamos como "trolls" aqueles que se atrevem a discordar. A consequência é que as opiniões tendem a ser reforçadas, e as mentiras, incontestadas. Definhamos no assim chamado "filtro bolha".

De fato, nunca houve um modo mais rápido e mais poderoso de espalhar uma mentira do que postá-la on-line. Os propagandistas russos criaram muitas das técnicas da manipulação de informação contemporânea, pondo em circulação material por meio de fontes estatais, mas também via vazamentos cuidadosamente orquestrados, feitos para se assemelhar à obra de cyberpunks independentes. Em 2016, o impacto do *hacking* russo na eleição presidencial norte-americana ainda era objeto de investigação. No entanto, restam poucas dúvidas sobre sua extensão. Se a política é a guerra por outros meios, o mesmo ocorre em relação à informação.[17]

NOTÍCIAS FALSAS

A pós-verdade também vende. Aqueles a quem Tim Wu, professor da Universidade Colúmbia, denominou "mercadores da atenção" competem pelo nosso tempo e o comercializam como um produto de alto valor. Fazem quase tudo para nos distrair e nos envolver. Eles se deram conta de que William James tinha razão: "Minha experiência é aquilo a que eu resolvo prestar atenção."[18]

Conclui-se que há lucros a serem auferidos da linha de produção de embustes caça-cliques — afirmações médicas não científicas, teorias excêntricas, visões imaginárias de discos voadores ou de Jesus. Os desestímulos à publicação são (até agora) marginais e a facilidade de produção é instigadora. Para aqueles que estão na mídia social, o anonimato reduz drasticamente a responsabilização. A agitação da colmeia envia a efervescência do embuste para o ciberespaço para fazer seu trabalho. Nunca o antigo adágio de que a mentira viaja muito mais rápido do que a verdade pareceu tão atual.

Como Eric S. Raymond previu de forma memorável, a catedral está dando lugar ao bazar.[19] Os sistemas hierárquicos de informação, em que marcas estabelecidas — jornais, canais de tevê — decidem que notícias são adequadas para consumo, se esforçam para concorrer com o Speakers' Corner* cósmico da nova mídia. É um erro desistir das marcas da grande mídia: BBC, CNN, *The Times* (e seu congênere de Nova York), *Guardian*, *Financial Times* e *The Economist* — para nomear apenas algumas — permanecem fundamentais para a cultura e o discurso das correntes predominantes. Mas também é verdade que a mídia estabelecida enfrenta um imenso desafio enquanto busca novos modelos de negócio que lhe permitirão continuar fiel aos seus princípios.

---

* O Speakers' Corner [Recanto do Orador] é um local situado no Hyde Park, em Londres, em que qualquer pessoa pode fazer discursos. (N.T.)

Na consequente cacofonia, o fluxo de informações é cada vez mais dominado pela interação par a par, em vez do imprimátur da imprensa tradicional. Consumimos aquilo que já gostamos, e evitamos o não familiar. O dínamo supremo da novidade também se tornou o curador do boato, do folclore e do preconceito.

Que fique bem claro: isso não é um defeito de projeto. É aquilo que os algoritmos se destinam a fazer: conectar-nos com as coisas que gostamos, ou podemos vir a gostar. Trata-se de algo bastante responsivo ao gosto pessoal e — até agora — bastante cego à veracidade. A web é o vetor definitivo da pós-verdade, exatamente porque é indiferente à mentira, à honestidade e à diferença entre os dois.

Por isso as "notícias falsas" se tornaram uma questão tão importante, sobretudo no Facebook. Em 2016, entre os embustes mais lidos, destacaram-se: a afirmação de que Obama tinha banido o juramento de lealdade à bandeira nas escolas; "O papa Francisco choca o mundo e endossa Donald Trump para presidente"; a notícia de que Trump estava oferecendo passagens só de ida gratuitas para a África e o México àqueles que queriam ir embora dos Estados Unidos; e "O líder do Estado Islâmico pede para os muçulmanos norte-americanos votarem em Hillary Clinton". Os feeds de notícias automatizados fizeram com que centenas de milhares de pessoas lessem no Facebook que a Fox News demitira Megyn Kelly, uma de suas âncoras, por ser uma "traidora"[20].

Por mais ridículas que essas histórias possam parecer, elas comandam a crença: em dezembro de 2016, uma pesquisa de opinião do instituto Ipsos, para o site BuzzFeed, com mais de 3 mil norte-americanos, verificou que 75% daqueles que viram as manchetes das notícias falsas as julgaram como exatas. Na média, os partidários de Hillary Clinton consideraram 58% das manchetes das notícias falsas como verdadeiras, em contraste com 86% dos eleitores de Trump.[21] Muito pior: uma notícia falsa afirmando que Hillary Clinton estava no centro de uma conspiração de pedófilos convenceu o jovem de 28 anos Edgar Maddison Welch, de Salisbury, na Carolina do Norte, a "investigar por conta própria" essa história absurda disparando tiros com um fuzil de assalto em uma pizzaria, em Washington.

O restaurante falsamente associado à história — Comet Ping Pong — denunciou a acusação como totalmente inverídica antes do ataque de Welch. O proprietário e funcionários receberam ameaças de morte, vítimas involuntárias das falsas acusações do assim chamado "Pizzagate"[22]. Vale registrar que Michael Flynn, conselheiro de Segurança Nacional de Trump por curto período, twittou que as histórias ligando Hillary Clinton a "crimes sexuais com crianças" eram "leitura obrigatória". Por mais tentador que seja não levar a sério as notícias falsas, elas possuem consumidores entusiásticos no próprio ápice do poder.

Tudo o que importa é que as histórias *pareçam* verdadeiras, que elas repercutam. Na política, o pioneiro dessa doutrina foi o governo de George W. Bush. Como Ron Suskind relatou na *The New York Times Magazine*, em 2004, um dos assessores do presidente — tudo indica que seria Karl Rove — disse que seus métodos jornalísticos eram ultrapassados:

> O assessor afirmou que sujeitos como eu estavam no que ele chamava de "comunidade baseada na realidade", que ele assim definiu: "Pessoas que acreditam que as soluções surgem do estudo criterioso da realidade perceptível. [...] Esse não é mais o jeito como o mundo funciona. Somos um império agora e, quando agimos, criamos a nossa própria realidade. E enquanto você examina essa realidade – de maneira prudente, como você faz –, nós agimos de novo, criando outras novas realidades, que você também pode examinar, e é assim que as coisas se ordenam. Somos atores da história [...], e você, todos vocês, existirão simplesmente para examinar o que fazemos."[23]

Em outras palavras: o que os jornalistas chamam de realidade é totalmente substituível. Aqueles que possuem uma plataforma para oferecer o que Kellyanne Conway mais recentemente chamou de "fatos alternativos" farão isso. Saia da frente e aproveite o passeio.

Como na política, também na televisão. Nenhum gênero recebeu nome mais irônico do que o "reality show". Longe de documentar a verdade do cotidiano, esses programas lançaram seus participantes em cenários predominantemente roteirizados (ou, no mínimo, bem tramados), que apresentam uma narrativa predeterminada como comportamento autêntico. Alguns programas — *Operação Resgate, Amish Mafia* — apresentam ressalvas, explicando que o conteúdo é uma recriação de incidentes supostamente reais. Outros — *The Bachelor, Jersey Shore, Os reis dos patos* — foram exibidos como sendo encenados total ou parcialmente. No entanto, essas revelações não fizeram nada para reduzir a demanda da audiência por esses programas. A intensidade do drama, em vez da exatidão, é o que importa. Para os telespectadores, a realidade e o entretenimento se tornaram coextensivos.

Essa é a característica que define o mundo da pós-verdade. A questão não é determinar a verdade por meio de um processo de avaliação racional e conclusiva. Você escolhe sua própria realidade, como se escolhesse comida de um bufê. Também seleciona sua própria mentira, de modo não menos arbitrário. Em um caso clássico de algo que os psicólogos chamam de "espelhamento", Trump — notório em sua campanha por suas mentiras — começou a acusar seus críticos da mídia de espalhar "notícias falsas". Zangado com as denúncias do BuzzFeed e da CNN de que o governo russo estava em condições de chantageá-lo, o presidente eleito recusou-se a responder à pergunta de um jornalista de um canal pago durante uma entrevista coletiva na Trump Tower, em Nova York. Seu raciocínio foi direto. "Não tem nada a ver com você", Trump disse para Jim Acosta, correspondente da CNN na Casa Branca. "Sua organização é terrível." Acosta pediu que ele lhes desse uma chance. Contudo, Trump estava inflexível: "Não vou lhe dar uma matéria. A CNN é notícia falsa."[24]

Como presidente, Trump fez acusações similares de modo regular. Em 10 de fevereiro de 2017, twittou em resposta a uma notícia do *The New York Times* sobre sua falta de contato com Xi Jinping, presidente da China: "O @nytimes, que sempre falha, apresenta uma NOTÍCIA FALSA sobre a China, dizendo que: 'O sr. Xi não fala com o sr. Trump desde 14 de novembro.' Nós conversamos muito ontem!" Esse twitte era, em si, uma notícia falsa. No momento da reportagem inicial do jornal, o presidente não falava com Xi desde novembro. O artigo foi atualizado quando a Casa Branca divulgou o telefonema entre os dois líderes. Contudo, isso não deteve Trump, que continuou liberando suas acusações iracundas.

Seis dias depois, em sua primeira entrevista coletiva como presidente, Trump se empolgou com seu tema. "Muitos jornalistas de nosso país não irão falar a verdade e não tratarão o maravilhoso povo de nosso país com o devido respeito", ele disse na declaração de abertura. "Infelizmente, grande parte da mídia em Washington, junto com Nova York e Los Angeles, em particular, não fala para as pessoas, mas sim para os interesses especiais e para aqueles que lucram com um sistema obviamente quebrado."

Por mais agressivo que tenha sido, isso cumpre — quase completamente — as regras normais de compromisso de um presidente em conflito com a mídia. O mesmo não pode ser dito, porém, sobre seus comentários confusos acerca de vazamentos de seu governo e de sua verdade: "Os vazamentos são reais. Vocês são aqueles que escreveram a respeito deles e os divulgaram. Sem dúvida, os vazamentos são reais. [...] A notícia é falsa porque muito da notícia é falsa." Na medida em que isso significa algo é que as fontes das reportagens eram autênticas, mas as notícias, falsas. Com certeza, estávamos em algo do tipo um outro mundo do outro lado do espelho.[25]

Se a tecnologia digital é o hardware, a pós-verdade provou ser um software poderoso. Ela reduz o discurso político a um videogame, em que o jogo interminável, em múltiplos níveis, é o único ponto de

"VOCÊ NÃO É CAPAZ DE LIDAR COM A VERDADE!": AS ORIGENS DA ERA DA PÓS-VERDADE

exercício. Quando Trump twittou que a "mídia NOTÍCIA FALSA" era a "inimiga do povo", ele não estava apenas se apropriando do léxico da autocracia. Ele estava recomendando que os cidadãos norte-americanos se comportassem como jogadores, pegassem seus consoles e mirassem nos vilões que carregavam caderninhos de anotação. É tudo uma questão de escolha de times, intensidade de sentimentos e escalada dos insultos. É a política do puro espetáculo.

Não podemos enfatizar o suficiente que essa não é a prática antagônica normal de uma democracia saudável. Os sistemas parlamentares dependem da confrontação através da Despatch Box*. As estruturas legais colocam advogados uns contra os outros ou permitem que um juiz inquisitório interrogue todos os participantes de um caso. Para Oliver Wendell Holmes: "O melhor teste da verdade é o poder do pensamento ser aceito na concorrência do mercado, e essa verdade é o único terreno sobre o qual a vontade (dos homens) pode ser posta em prática seguramente."[26] Contudo, há uma diferença entre um mercado estruturado de ideias e uma babel de gritos estridentes em que tudo vale e um terreno comum não apenas encolhe, mas é totalmente evitado.

Como Charlie Sykes, apresentador de programa de entrevistas conservador e editor do *Right Wisconsin*, disse ao *The Economist*: "Basicamente, eliminamos os árbitros, os guardiões. [...] Não há ninguém: você não pode procurar alguém e dizer 'Olhe, aqui estão os fatos'."[27] Aqueles responsáveis pelos diversos sites de checagem de informações que surgiram nos últimos anos protestam, sem dúvida. Mas, até agora, demonstraram ser uma força insuficiente de resistência contra as efusões torrenciais da mídia social. Quando alguém com uma conta no Twitter pode reivindicar ser uma fonte de notícias, fica infinitamente mais difícil distinguir entre fato e mentira. Todos e ninguém são "especialistas".

---

* A Despatch Box [Caixa de Despacho] é utilizada pela rainha Elizabeth II e os ministros do governo britânico para transportar documentos confidenciais. (N.T.)

Quem pode monitorar um espaço ilimitado? Onde estão os selos de qualidade, os "cães de guarda", as forças editoriais suficientes para essa tarefa? Com a migração do consumo de notícias da mídia imprensa e da televisão para o éter on-line, essa não é mais uma questão acadêmica.

Principalmente, também é uma questão a respeito de *nós*. Como assinalado no capítulo anterior, o fator de clinche na ascensão da pós-verdade foi nosso comportamento como cidadãos. Ao recompensar com o sucesso político aqueles que mentem, eximindo-os das tradicionais expectativas de integridade, nós nos apartamos dos deveres da cidadania. Para a acusação urrada pelo personagem de Jack Nicholson em *Questão de honra* — "Você não é capaz de lidar com a verdade!" —, não temos nenhuma resposta pronta.

A surpresa, o prazer, o reconhecimento e a indignação são fundamentais para a experiência humana, mas são uma base insuficiente na qual apoiar nossas versões da realidade. Retwittamos, cedemos ao caça-cliques, compartilhamos sem a devida diligência. E isso é divertido muitas vezes. Contudo, não é sem consequências, como a cultura brincalhona da mídia social costuma sugerir. Conspiramos, involuntariamente ou não, na desvalorização da verdade, hibernando na toca do Hobbit em relação à opinião aceita, com nossos rostos iluminados pela luz dos inúmeros sinais eletrônicos que reforçam o que já achamos que sabemos. A licença para um tolo não tem sentido quando somos todos tolos.

CAPÍTULO 3

CONSPIRAÇÃO E NEGAÇÃO: OS AMIGOS DA PÓS-VERDADE

A PARANOIA ASSUME O PRIMEIRO PLANO

Em novembro de 1964, a *Harper's Magazine* publicou um artigo seminal de Richard Hofstadter, professor de história da Universidade Colúmbia, intitulado "The Paranoid Style in American Politics" [O estilo paranoico na política norte-americana].[1] Até hoje esse ensaio permanece o texto básico para todos que estudam as teorias da conspiração modernas e seu impacto sobre as percepções da verdade.

O insight principal de Hofstadter — auxiliado por sua eloquência — era a distinção que ele inferiu entre a paranoia dos conspiradores contemporâneos e o alarmismo daqueles que, em séculos passados, apontaram suas armas contra, por exemplo, católicos, maçons e os Illuminati da Baviera:

> Os porta-vozes daqueles movimentos mais antigos sentiam que apoiavam causas e pessoas que ainda se encontravam de posse de seu país. Estavam se defendendo de ameaças a estilos de vida ainda estabelecidos. No entanto, a direita moderna [...]

sente-se desapropriada: os Estados Unidos foram tirados larga-
mente deles e de sua espécie, embora estejam determinados a
tentar retomar sua posse e impedir o ato de subversão final e
destrutivo.

Para "Tornar a América Novamente Grande", pode-se dizer. No
entanto, Hofstadter continuou, os conspiradores de seu próprio tempo
— sobretudo, mas não só, anticomunistas e herdeiros de McCarthy —
acreditavam-se engajados numa luta milenarista, que determinaria
muito mais do que o destino de uma única nação:

> O porta-voz paranoico enxerga o destino da conspiração em
> termos apocalípticos – ele trafica com o nascimento e a morte
> de todos os mundos, de todas as ordens políticas, de todos os
> sistemas de valores humanos. Está sempre erguendo as barri-
> cadas da civilização. Vive constantemente em um ponto de
> inflexão. Como os milenaristas religiosos, expressa a ansiedade
> daqueles que estão vivendo os últimos dias e, às vezes, tende a
> fixar uma data para o apocalipse.

Meio século depois, o artigo de Hofstadter permanece um guia
inestimável, exceto em um aspecto decisivo. De acordo com ele, as teorias da conspiração eram um "fenômeno psíquico persistente que afe-
tava com certa constância uma minoria modesta da população".
Contudo, na era da pós-verdade, não é mais assim.

Consideremos o caso de Alex Jones, o apresentador texano do site
Infowars.com, que afirma, entre outras coisas, que o massacre na
escola primária de Sandy Hook, em 2012, em que vinte crianças morreram, foi um embuste; que engenheiros genéticos perversos estão
reproduzindo híbridos de seres humanos e peixes; e que uma elite
vampiresca, incluindo os Clinton, está envolvida em abuso infantil
satânico. De acordo com Jones, seus acessos conspirativos são

escutados por 5 milhões de ouvintes de rádio todos os dias e alcançam 80 milhões de visualizações de vídeo por mês. Essas estatísticas são de difícil comprovação, mas, sem dúvida, o alcance de Jones é amplo — e agora elevado. Trump apareceu em seu programa, descreveu a reputação de Jones como "incrível" e, ao que consta, telefonou para Jones após a eleição para agradecê-lo por seu apoio ("ele precisa de mim", segundo o apresentador). A Casa Branca não negou que Trump e Jones permanecem em contato.

Em tempos idos, Jones seria um homem-sanduíche transmitindo sua mensagem aos gritos para quem passasse pela rua. Atualmente, ele tem acesso aos políticos mais poderosos do mundo. O que é importante reconhecer é que isso reflete uma mudança estrutural, e também uma afinidade pessoal desafortunada entre dois fanfarrões. Jones e Trump são parte de uma série contínua, que se estende desde programas de rádio de entrevistas e debates via sites, como Breitbart.com ("a plataforma para a direita alternativa", segundo Stephen Bannon, ex-presidente executivo), até o Salão Oval; um nexo global que tem muito pouco em comum com os arranjos sociais do passado.

O século xx deixou como herança um sistema de instituições baseadas em regras e em evolução gradual; e uma hierarquia de conhecimento e autoridade, em que entidades representativas interagiam com o Estado de acordo com protocolos comprovados. Hoje, essa estrutura está sendo desafiada por uma malha de redes vinculadas não por laços institucionais, mas pelo poder viral da mídia social, do ciberespaço e dos sites, que se deleitam em sua repugnância em relação à grande mídia (msm). A web aboliu o abismo entre o centro e a periferia, entre o oficial e o marginal, sendo o motivo pelo qual uma figura como Bannon, o autoproclamado "leninista" de direita, pôde acabar como estrategista-chefe de Trump, com acesso irrestrito ao presidente; e um homem como Jones, que vocifera a respeito de "viagem interdimensional" e insiste que Obama "é da al-Qaeda", aparentemente é ouvido pelo comandante em chefe.[2]

Essas redes também são o vetor ideal para teorias da conspiração. Em 2013, pesquisas de opinião realizadas pela Universidade Fairleigh Dickinson verificou que 63% dos eleitores norte-americanos registrados acreditavam ao menos em uma dessas afirmações fora do comum (56% dos democratas e 75% dos republicanos).[3] No ano seguinte, Eric Oliver e Thomas Wood, da Universidade de Chicago, publicaram um estudo baseado em oito sondagens nacionais, realizadas anualmente a partir de 2016. Eles constataram que, em qualquer ano, cerca de 50% do público endossou ao menos uma teoria da conspiração. Entre as mais significativas, destacaram-se: a afirmação de que Barack Obama não nasceu no Havaí, mas no Quênia; a teoria de que o governo norte-americano estava envolvido nos ataques de 11 de Setembro; e a crença de que o Federal Reserve estava por trás da crise financeira de 2008.[4]

Alguns enxergam uma validade cívica inesperada na difusão de mitos. Em 1995, em *Progressive Review*, Sam Smith escreveu: "O poeta entende que o mito não é uma mentira, mas a versão da verdade feita pela alma. Hoje em dia, um dos motivos pelos quais tantas histórias são mutiladas pela mídia é que os jornalistas se tornaram incapazes de lidar com o não literal".[5]

Pode ser, mas, na era da pós-verdade, há um bom motivo para a defesa do literalismo. Em seu excelente estudo das teorias da conspiração, David Aaronovitch, jornalista do *Times*, sugere que a prevalência dessas crenças reflete um anseio humano fundamental pela narrativa: "Precisamos de histórias, e podemos até ser programados para criá-las." Nesse aspecto: "O paradoxo é que [...] as teorias da conspiração são realmente tranquilizadoras. Elas sugerem que há uma explicação, que as ações humanas são poderosas e que há ordem, em vez de caos. Isso torna a redenção possível." Para Aaronovitch, são um protesto visceral contra a indiferença, embora nada menos prejudicial em relação a isso.[6]

Também se relacionam perigosamente com a prioridade concedida à emoção e não à evidência, no mundo da pós-verdade. Como

Rob Brotherton observa em seus estudos dessas teorias: "Construímos uma fortaleza de informação positiva ao redor de nossas crenças e raramente saímos ou espiamos pela janela."[7] Em nossa avaliação dessas afirmações, por mais excêntricas que sejam, aplicamos o que os psicólogos denominam "estratégia do teste positivo", procurando o que esperamos encontrar.

Essa inclinação se apoia na "assimilação tendenciosa": avaliamos a ambiguidade à luz de nossas convicções já existentes. Se estamos inclinados a pensar que os governos se comportam com sigilo patológico, frequentemente em colaboração com infratores, tendemos a rejeitar a ideia de que Lee Harvey Oswald foi o assassino solitário de John F. Kennedy. Se suspeitarmos de que todas as corporações são inerentemente perversas, prestaremos atenção às afirmações — proferidas em qualquer base — que as culturas transgênicas são perigosas.

A mais profunda dessas predisposições é a crença religiosa. Assim, quando a religião entra em conflito com a ciência, frequentemente a fé prevalece. Conforme as descobertas da pesquisa evolucionária aumentam e ficam cada vez mais estimulantes, o criacionismo simplesmente se entrincheira. É incrível pensar que ao menos um em três norte-americanos ainda rejeita a ciência darwinista e acredita que o mundo foi criado há alguns milhares de anos. Em 2005, o Museu Americano de História Natural montou uma exposição em homenagem a Darwin, mas, excepcionalmente, foi incapaz de assegurar o patrocínio de empresas, que ao que parece receavam um boicote criacionista. Em 2007, um Museu da Criação de 27 milhões de dólares foi inaugurado em Petersburg, no Kentucky, oferecendo adesivos que diziam "Estamos trazendo de volta os dinossauros". Da mesma forma que, nove anos depois, os partidários do Brexit incitariam os eleitores britânicos ao "Reassumir o Controle", os criacionistas anunciaram que estavam recuperando os velociraptors para o cristianismo.

Nos primeiros e estimulantes tempos da Web 2.0, assumiu-se amplamente que a revolução digital geraria uma capacidade de autocorreção global; que a mentira seria expulsa pelo mecanismo de defesa da e-responsabilização. Em vez disso, às vezes, pareceu que a internet é governada pela versão epistemológica da Lei de Gresham: ou seja, a moeda má tende a expulsar a moeda boa.

No mínimo, o vírus da mentira se provou resistente ao tratamento de modo alarmante. De fato, muitas vezes o tratamento reforçou a doença. De acordo com Brenda Nyhan, cientista política da Dartmouth College, apresentar a uma pessoa que acredita numa teoria da conspiração uma evidência que seja de que ela não tem fundamento pode muitas vezes reforçar sua crença: o assim chamado "efeito tiro pela culatra"[8].

No capítulo anterior, vimos como a falsa ideia das "comissões da morte" persistiu bastante imune à objeção justificada de que não tinha absolutamente nenhuma base em fatos. Um exemplo ainda mais chocante foi a resposta pública à controvérsia dos *"birthers"**: um clamor incitado inicialmente pelos partidários de Hillary Clinton, em 2008, nas eleições primárias presidenciais do Partido Democrata, e bastante explorado publicamente por Donald Trump como exercício piloto para sua própria futura candidatura.

A resposta inicial de Obama à afirmação de que, como pessoa nascida no exterior, não estava habilitado a se candidatar à presidência, foi postar uma imagem de sua certidão de nascimento simplificada. Em julho de 2009, o diretor do Departamento de Saúde do Havaí confirmou que os registros de nascimento completos do presidente estavam de fato arquivados. Por fim, em abril de 2011, Obama divulgou sua certidão de nascimento completa no site da Casa Branca. Caso encerrado? Nem um pouco.

Antes da divulgação dessa prova definitiva, 45% dos cidadãos norte-americanos admitiram dúvidas sobre o lugar de nascimento de

---

* Indivíduos que acreditam que Barack Obama não nasceu nos Estados Unidos e, portanto, não teria o direito de ser presidente pela Constituição norte-americana. (N.T.)

Obama. Após a postagem da certidão completa, esse número caiu, mas só para 33%. Então, em uma negação surpreendente dos fatos, o número começou a *subir* de novo, alcançando 41% em janeiro de 2012. Como uma infecção resistente a antibióticos, uma teoria da conspiração virulenta pode se defender até de fatos incontestáveis. Sua força popular depende não da evidência, mas do *sentimento*; a essência da cultura da pós-verdade. Como o psiquiatra Karl Menninger afirma: "As atitudes são mais importantes que os fatos."

Numa investigação distinta, as imagens do cérebro revelaram a base neurológica desse efeito:

> Se de início obtivermos um sentimento de recompensa por uma ideia, procuraremos reproduzir os sentimentos diversas vezes. Toda vez, o centro de recompensa no cérebro – o estriado ventral e, mais especificamente, o núcleo *accumbens* situado dentro dele – é acionado, e, com o tempo, outras partes do cérebro instintivo aprendem a consolidar a ideia em uma ideia fixa. Se tentamos mudar nossas mentes, um centro do medo no cérebro, como a ínsula anterior, nos adverte de que o perigo é iminente. O poderoso córtex pré-frontal dorsolateral pode neutralizar esses centros cerebrais mais primitivos e impor a razão e a lógica, mas ele é lento para agir e requer bastante determinação e esforço para isso. Portanto, é basicamente não natural e incômodo mudar nossas mentes, e isso se reflete na forma como nossos cérebros funcionam.[9]

Dessa maneira, muitas vezes o que parece resistência deliberada à evidência não passa de operações da biologia. Nossos cérebros revogam o que consideramos ser operações racionais de nossas mentes.

No passado, também era corriqueiro associar teorias da conspiração com a ignorância dos pouco instruídos e o fanatismo dos matutos. Mas essa suposição era bastante inapropriada. De acordo com pesquisa recente, aqueles que são mais instruídos sobre política e ciência tendem a adotar posições radicais em relação, por exemplo, à mudança climática e comissões da morte. O ensino superior não oferece isolamento real contra o pensamento mágico. Como Brotherton afirma: "Nossas crenças vêm em primeiro lugar. Nós inventamos razões para elas. Sermos mais inteligentes ou termos acesso a mais informações não necessariamente nos deixa menos suscetíveis a crenças deficientes."[10]

QUEM PRECISA DA CIÊNCIA?

Essas prioridades da pós-verdade orientaram a ascensão do "negacionismo científico": a crescente convicção de que os cientistas, em comum acordo com o governo e as corporações farmacêuticas ("Big Pharma"), estão em guerra contra a natureza e os melhores interesses da humanidade.[11] Para algumas pessoas, a resposta necessária equivale a nada mais do que consumir alimentos orgânicos, comprar produtos locais e ingerir grandes doses de vitaminas e suplementos todas as manhãs — comportamento dificilmente censurável, independentemente de seus méritos. No entanto, o recuo em relação à ciência se torna perigoso quando ameaça a saúde pública ou a segurança dos outros.

Não há melhor exemplo disso do que a moderna e prolongada campanha contra a vacinação. Essa forma grave de negacionismo — um estudo de caso da pós-verdade — foi desencadeada por um único estudo, publicado na revista científica *Lancet*, em 1998. Com base em seus resultados, o dr. Andrew Wakefield, um dos autores do artigo, afirmou em uma entrevista coletiva que havia um possível vínculo entre a vacina contra sarampo, caxumba e rubéola, introduzida dez anos antes no Reino Unido, e a crescente incidência de diagnósticos de autismo. Consigo me lembrar bem de minha própria angústia como pai recente, preocupado com o suposto risco da vacina scr, ou "tríplice viral".

Conforme as afirmações ganhavam circulação na mídia, as taxas de imunização caíam muito em todo o Reino Unido, de 92% para 73% (e perto de 50% em certas áreas de Londres), o que resultou em surtos de sarampo e casos de morte. Em junho de 2008, a doença tinha uma vez mais se tornado endêmica na Grã-Bretanha — catorze anos após sua quase erradicação.

Quando a imprensa investigou o estudo original com mais detalhes, descobriu que os métodos de Wakefield eram insatisfatórios e revelavam conflitos de interesse. Finalmente, o artigo foi desmentido, dez dos treze autores retiraram suas contribuições e a licença de Wakefield para exercer medicina foi revogada. Contudo, o processo de verificação que o desacreditou era mais fraco do que o vírus do medo que ele injetou na corrente sanguínea do público.

Em 2001, Marie McCormick, professora de pediatria da Escola de Saúde Pública de Harvard, foi solicitada a encabeçar a Comissão de Avaliação da Segurança de Imunização, criada pelo Instituto de Medicina (IOM, na sigla em inglês). Embora McCormick não fosse especialista em ciência da vacinação, isso não foi obstáculo para sua nomeação. De fato, havia uma razão para ela ter sido selecionada. Como explicou Anthony S. Fauci, chefe do Instituto Nacional de Alergia e Doenças Infecciosas: "Politicamente, não havia outra maneira de fazer isso. Muitas vezes, os especialistas não são considerados legítimos. É um fato muito frustrante em relação à vida científica moderna."[12] Essa atitude com respeito à *expertise*, como vimos, iria contaminar o mundo político e desempenhar um papel significativo no referendo do Brexit.

Em 2004, a comissão de McCormick apresentou seu relatório, "Vaccines and Autism", comprovando, sem margem para dúvidas, que não existia vínculo entre vacinas e autismo. De modo decisivo, a comissão descobriu que as crianças não vacinadas desenvolveram autismo em uma proporção igual ou maior do que aquelas que foram vacinadas. Contudo, o relatório não foi páreo para a histeria que, naquele momento, dominava o debate público. A comissão foi forçada a adotar medidas de segurança extraordinárias em sua sessão pública final depois que seus membros ficaram sujeitos a ameaças de violência plausíveis e até foram aconselhados a manter em segredo em que hotel estavam hospedados.

A essa altura, o timerosal, polêmico conservante à base de mercúrio, fora removido das vacinas — uma providência adotada para tranquilizar pais em pânico, mas não imperativo para a pesquisa científica. Na verdade, a medida aumentou a ansiedade pública, o que incentivou os teóricos da conspiração que acreditavam que o timerosal era perigoso desde o princípio, que o complexo das ciências farmacêuticas tinha conhecimento disso, mas manteve segredo, e que, por esse motivo, talvez existissem muitas outras razões para temer as vacinações. Por sua vez, a remoção dos conservantes não fez nada para deter o aumento dos diagnósticos de autismo.

O que se seguiu foi uma parábola inicial da pós-verdade. Estava além da discussão racional que, ao menos no mundo desenvolvido, a vacinação extinguira a cólera, a febre amarela, a difteria, a pólio, a varíola e (pré-Wakefield) o sarampo. Contudo, a prova científica demonstrou não ser páreo para o carisma das celebridades. Em 2007, Jenny McCarthy, modelo e personalidade da tevê, cujo filho Evan é autista, apareceu no programa de Oprah Winfrey para definir uma posição em relação à vacinação. Contra toda a força da comunidade científica, McCarthy contrapôs seu "instinto maternal". Desafiada a expor sua própria evidência, ela disse: "Minha ciência se chama Evan e ele está em casa. Essa é a minha ciência." No desenrolar da polêmica, os médicos lamentavam frequentemente que a web dinamizara digitalmente a falsa ciência. McCarthy virou do avesso essa alegação. "Tirei meu diploma da Universidade do Google", ela declarou.

O poder de a liderança carismática solapar a ciência é um fenômeno rotineiro. Thabo Mbeki, ex-presidente da África do Sul, deu força emocional imensa à afirmação falsa de que o vírus HIV não causa aids — e à epidemia terrível nesse país, que continua uma crise até hoje.

Para a cruzada antivacina, Robert F. Kennedy Jr. também trouxe o enfeite cintilante do glamour político. Segundo ele: "[O relatório do IOM procurou] encobrir os riscos do timerosal." O que não era verdade, mas a acusação, feita por um Kennedy, teve um impacto indubitável. Talvez não seja nenhuma surpresa que o presidente eleito Trump se sentisse atraído pelas declarações de Kennedy — em janeiro de 2017, antes de sua posse, Trump manteve com ele duas conversas. No momento da escrita deste livro, Kennedy ainda acredita que vai comandar uma nova comissão oficial de segurança a respeito de vacinas. No entanto, ele já conseguiu o que buscava: o selo de aprovação presidencial para sua pseudociência.[13]

Enquanto isso, Wakefield compreendeu que, na estranha alquimia dos nossos tempos, a infâmia acadêmica pode ser a base para uma espécie de celebridade: um meio de relançar sua campanha e sua carreira. Em abril de 2016, seu filme *Vaxxed: From Cover-Up to Catastrophe*, embora retirado do Festival de Cinema de Tribeca, foi exibido em Manhattan pela primeira vez em meio a muita badalação e controvérsia.[14] Cheio de apelos emocionais muitas vezes canhestros, o filme se baseou na história do suposto "informante do CDC", o dr. William Thompson, cientista dos Centers for Disease Control and Prevention [CDC — Centros de Controle e Prevenção de Doenças] dos Estados Unidos.

Thompson, como o filme relata, alimentou Brian Hooker, engenheiro bioquímico e pai de um filho autista, com inúmeros dados que Hooker — que não possuía formação em epidemiologia — submeteu à sua análise pessoal. Em 2014, suas conclusões foram publicadas em uma revista obscura, mas, rapidamente, incitaram um vendaval on-line.

De acordo com Hooker, o CDC sempre soube que havia um vínculo entre a vacina tríplice viral (SCR) e o autismo, sobretudo entre os homens afro-americanos, mas escondera essa informação.

Previsivelmente, essa alegação gerou ansiedade e raiva, sobretudo entre os afro-americanos e os pais de crianças autistas. No entanto, não tinha nenhuma base em fatos.

Em seu artigo, Hooker cometeu erros estatísticos elementares, confundindo um "estudo de coorte" (que acompanha pessoas que não têm a doença em questão e, depois, rastreia que fatores parecem aumentar o risco de contração da doença) com um "estudo de caso-controle" (em que dois grupos compatibilizados, um com a doença e outro sem a doença, são comparados para ver que fatores de risco podem ser responsáveis pelas diferenças). Em epidemiologia, isso é como dizer que uma maçã é uma pera. Além disso, o número de meninos afro-americanos em que Hooker baseou sua conclusão incitante era diminuto.

No devido tempo, o artigo de Hooker foi desmentido pela revista que o publicou. No entanto, o filme *Vaxxed* simplesmente repete as alegações, apresentando Hooker como o Davi que enfrenta o Golias da indústria da saúde e Wakefield como o profeta oracular vindicado. Há uma remontagem criativa das afirmações de Thompson, para reforçar o argumento (espúrio) do filme. A afirmação principal de ocultação da verdade pelo CDC não é apoiada pela evidência. Stephanie Seneff, cientista da computação do MIT (de novo, não uma epidemiologista), declara para a câmera que, em 2032, 80% dos meninos serão autistas. O filme é um ataque grotesco à medicina, descaradamente manipulador e imperdoavelmente alarmista. No entanto, recolocou Wakefield na primeira página dos jornais nacionais.[15]

Quando a verdade desaba como valor social, as continuidades da prática social que ela apoiou são postas em perigo. Antes da ascensão do movimento de antivacinação, as doenças contra as quais as crianças eram inoculadas de modo rotineiro eram assumidas amplamente como sendo coisa do passado. No entanto, tanto na saúde pública como na política, a pós-verdade gera uma volatilidade espantosa. Quando se confia menos na investigação baseada em provas do que numa coleção de anedotas e se presta menos atenção à autoridade institucional do que em teorias da conspiração, as consequências podem ser imprevistas e fatais. Para ser eficaz, a vacinação depende de "imunidade de grupo": isto é, um nível de imunização bastante alto para a doença parar de se disseminar. Se esse nível vai sobreviver à histeria progressiva sobre a vacinação é uma questão em aberto.[16]

ANTISSEMITISMO E NEGAÇÃO DO HOLOCAUSTO NA ERA DIGITAL

Na história, nenhuma teoria da conspiração foi mais virulenta ou mais catastrófica no custo de vidas humanas que o antissemitismo. É o ódio mais antigo, mas um que se adaptou constantemente e assumiu formas recém-malignas. O ódio aos judeus sempre esteve em ambos os polos do espectro político. Com sinistra previsibilidade, a ascensão do nacionalismo populista e da direita alternativa coincidiu com o surpreendente aumento de incidentes de antissemitismo em todo o mundo. Nos primeiros meses de 2017, nos Estados Unidos, ocorreram 48 ameaças de bomba a centros comunitários judaicos. De agosto de 2015 a julho de 2016, a Anti-Defamation League (Liga Antidifamação) norte-americana identificou 2,6 milhões de twittes com linguagem hostil aos judeus. Na Alemanha, a quantidade de incidentes antissemitas subiu de 194, entre janeiro e setembro de 2015, para 461, no mesmo período de 2016. No Reino Unido, em 2016, os crimes de ódio antissemita bateram recordes, de acordo com o Community Security Trust, que registrou 1.309 desses incidentes durante o ano, um crescimento de 36% em relação ao total de 2015.

Não menos alarmante é o revigoramento da negação do Holocausto, sobretudo on-line. No momento da escrita deste livro, ao digitar as palavras "O Holocausto foi real?" no mecanismo de busca

Google, a primeira página de resultados incluiu os seguintes títulos: "O Holocausto contra os judeus é uma mentira absoluta — Prova"; "O Holocausto é uma farsa?"; "O Holocausto realmente ocorreu?"; "O Holocausto e a variante dos 4 milhões"; "Como o 'Holocausto' foi falsificado"; e "Acadêmico judeu refuta o Holocausto". Dificilmente pode haver um lembrete mais brutal de que os algoritmos, em sua forma atual, são indiferentes à verdade.

Em certo sentido, o antissemitismo moderno é o modelo para o que se tornou a pós-verdade. Sua carta de fundação, fonte básica para Hitler ao escrever *Minha luta* [*Mein Kampf*], é o documento conhecido como *Protocolos dos Sábios de Sião*. Pretensamente atas de uma reunião secreta do conselho supremo dos judeus, o texto inclui 24 sermões breves que teriam sido transmitidos pelo Ancião-Chefe e foi publicado pela primeira vez em 1903, no jornal russo *Znamia*. Após a Revolução Russa e a Primeira Guerra Mundial, sua influência foi sentida em todo o mundo, alimentando o mito de que um cartel de banqueiros judeus era o responsável pela Grande Depressão.

"A única declaração que estou disposto a fazer acerca dos *Protocolos* é que eles se encaixam com o que está acontecendo", afirmou Henry Ford, notório antissemita. Dificilmente alguém pode pedir um exemplo mais incisivo do viés de confirmação ou do primado desavergonhado do sentimento visceral sobre a realidade empírica.[17] O que importava para um intolerante como Ford que os *Protocolos* fossem uma falsificação comprovada e conclusivamente frágil?

Isso ficou bastante claro já em 1920, quando Joseph Stanjek, acadêmico alemão, identificou as semelhanças entre o documento bastante divulgado e uma obra de ficção, *Biarritz* (1868), de autoria de outro alemão, Hermann Goedsche, sob o pseudônimo de sir John Retcliffe. Muito do material dos *Protocolos* foi plagiado de outra obra de ficção escrita por um francês chamado Maurice Joly, que descrevia um diálogo imaginário entre Maquiavel e Montesquieu no além. No devido tempo, e sem sombra de dúvida, ficaria estabelecido que os

CONSPIRAÇÃO E NEGAÇÃO: OS AMIGOS DA PÓS-VERDADE

textos foram unidos pela Okhrana, a polícia secreta do regime do czar Alexandre III da Rússia. Portanto, a inautenticidade dos *Protocolos* ficou comprovada muito antes da ascensão de Hitler.

Isso não perturbou minimamente o líder nazista. Como Ford, Hitler considerou verdadeiro o documento, pois correspondia ao seu ódio ilimitado contra os judeus. Como ele escreveu em *Minha luta*: "[...] a melhor crítica que se aplica [aos *Protocolos*] é a realidade. Aquele que examina o desenvolvimento histórico dos últimos cem anos, do ponto de vista desse livro, também entenderá imediatamente o clamor da imprensa judaica."[18] Se as ideias possuem uma genealogia, esse foi um momento das tendências que se aglutinaram, quase um século depois, na era da pós-verdade.

O mesmo desprezo pelas evidências sustenta a negação do Holocausto. Embora muitos nomes tenham sido associados a esse fenômeno infame, nenhum rivalizou a proeminência de David Irving, historiador prolífico e ídolo da extrema direita. Em 2000, Irving processou a acadêmica norte-americana Deborah Lipstadt e sua editora, a Penguin Books, na Suprema Corte britânica, por causa da descrição que ela fez dele em seu livro *Denying the Holocaust*:

Irving é um dos porta-vozes mais perigosos da negação do Holocausto. Familiarizado com a evidência histórica, ele a adapta até ela se adequar às suas inclinações ideológicas e agenda política. Um homem que está convencido de que o grande declínio britânico foi acelerado pela decisão de declarar guerra contra a Alemanha, ele é ágil em pegar informação exata e moldá-la para confirmar suas conclusões. Uma resenha de seu livro mais recente, *Churchill's War*, que apareceu na *New York Review of Books*, analisou perfeitamente sua prática de aplicar um padrão duplo à evidência. Ele exige "prova documentária absoluta" quando se trata de provar a culpa alemã, mas recorre à evidência altamente circunstancial para condenar os Aliados. É uma descrição exata não só da tática de Irving, mas dos negadores em geral.[19]

Para Irving, isso foi um ataque contra suas credenciais acadêmicas e também uma acusação de que ele negou a realidade do Shoah [Holocausto]. De acordo com a lei inglesa de difamação, a obrigação de provar cabia a Lipstadt, a acusada — que sabia que muito mais do que sua reputação intelectual estava em jogo. Supérfluo como possa parecer a qualquer um com um pouco de consideração pela história e pelo poder da evidência, sua equipe jurídica foi obrigada a demonstrar que Irving estava errado a respeito do Holocausto. Ou seja, que existiram câmaras de gás em Auschwitz; que as mortes nos campos foram consequência principalmente do genocídio, e não de doenças; e que a linguagem eufemística muito utilizada pelos nazistas para descrever o morticínio industrializado ("reassentamento") não dizia respeito à verdade literal.

Se Irving vencesse no julgamento, Lipstadt compreendeu, os negadores teriam conquistado uma vitória notável e a realidade do maior crime já cometido seria questionada com confiança exponencialmente maior. Em seu relato do caso — mais tarde transformado no filme *Negação*, estrelado por Timothy Spall e Rachel Weisz —, Lipstadt recordou a noção de responsabilidade com as vítimas e os sobreviventes do Holocausto que ela sentiu na noite anterior ao veredicto:

Por volta das onze da noite, Ben Meed, presidente da American Gathering of Jewish Holocaust Survivors e sobrevivente do Gueto de Varsóvia, telefonou. Homem pequeno e de cabelos brancos, a vida de Ben era o mundo dos sobreviventes do Holocausto. "Deborah, esta noite você pode dormir profundamente, porque nenhum de nós vai dormir", ele disse. Ben não identificou o "nós". Há um aforismo judaico que diz: "Coisas que vêm do coração penetram o coração." E foi assim. [...] Imaginei-me

76

CONSPIRAÇÃO E NEGAÇÃO: OS AMIGOS DA PÓS-VERDADE

cercada por um grupo de anjos resolutos, cujas vidas foram moldadas pelo Holocausto e seus horrores concomitantes.[20]

No dia seguinte, Lipstadt soube que Irving fora derrotado. Em seu veredicto de 355 páginas, o juiz Gray disse que: "[Irving] adulterou significativamente o que a evidência, objetivamente examinada, revela. [...] [Sua] falsificação da fonte histórica é deliberada e [...] motivada pelo desejo de apresentar acontecimentos em consonância com suas crenças ideológicas, mesmo se isso envolver distorção e manipulação da evidência histórica. [...] [Irving] adulterou a evidência histórica ao falar a plateias da Austrália, do Canadá e dos Estados Unidos [...] que a caçada aos judeus no Leste Europeu foi casual, não autorizada e realizada por grupos ou comandantes individuais." O juiz declarou: "É incontestável que Irving se qualifica como um negador do Holocausto." Frequentemente, ele negou a existência de câmaras de gás em Auschwitz e "nos termos mais ofensivos".[21]

Com razão, o julgamento de Lipstadt foi percebido como uma vitória memorável na luta contra a negação, o desmascaramento judicial de um insulto monstruoso contra 6 milhões de mortos. No entanto, não marca o fim da luta, mas sim o início de uma nova fase da batalha. A negação do Holocausto foi definitivamente afugentada do âmbito da história acadêmica: nenhum acadêmico importante, independentemente de crença ideológica, vai querer cortejar a humilhação internacional imposta sobre Irving na Suprema Corte.

No entanto, a mentira é astuciosa e se adapta para satisfazer novas circunstâncias, entrando em metástase seja lá como for. Em 2014, uma pesquisa de opinião realizada com mais de 53 mil pessoas, em mais de cem países, mostrou que apenas um terço da população mundial acreditava que o Holocausto foi registrado perfeitamente em relatos históricos; 30% afirmaram que era provavelmente verdade que os "judeus ainda falavam muito sobre o que lhes aconteceu no Holocausto". Em um preocupante presságio para o futuro, aqueles com menos de 65 anos eram muito mais propensos a dizer que achavam que os fatos acerca do genocídio tinham sido distorcidos, incluindo, entre os entrevistados abaixo dessa idade, 22% de cristãos, 51% de muçulmanos e 28% de pessoas sem religião declarada.[22]

Essa divergência geracional se compusera pelo ressurgimento do antissemitismo e pela agitação da dúvida digital. Um estudo de Scott Darnell, da Harvard Kennedy School of Government, publicado em 2010, concluiu: "O conhecimento do Holocausto é relativamente baixo nos Estados Unidos e, na última década, a quantidade e a concentração de grupos organizados de ódio antissemita aumentaram (principalmente no Sul e no Oeste Montanhoso)." Embora Darnell detectasse um declínio na quantidade total de incidentes antissemitas — um padrão que foi revertido nos anos seguintes —, ele também descobriu que:

[Os estados] com uma população judaica maior e mais concentrada tendem a experimentar mais incidentes antissemitas, embora a atividade de grupos organizados de ódio esteja muito mais concentrada em estados com população judaica menor e menos concentrada; os latinos nascidos no exterior, os afro-americanos e aqueles com baixos níveis de educação são especialmente propensos a abrigar crenças antissemitas. Há forte evidência para sugerir que, nos Estados Unidos, a negação do Holocausto acumulou uma crescente quantidade de cobertura midiática ao longo da última década e continua a crescer em prevalência na internet.[23]

Por mais deplorável que isso seja, não deveria nos surpreender. Na era da pós-verdade, mesmo o mais erudito se volta, por reflexo, para a internet como seu primeiro porto de escala na busca de informação instantânea. Muitos nunca vão além do que Jenny McCarthy batizou de "Universidade do Google" quando realizam suas consultas. E, como vimos, aqueles que digitam uma pergunta sobre o Holocausto em um

CONSPIRAÇÃO E NEGAÇÃO: OS AMIGOS DA PÓS-VERDADE

mecanismo de busca não serão premiados com o saber de grandes acadêmicos como Martin Gilbert, Nikolaus Wachsmann ou Laurence Rees, ou com relatos testemunhais de Primo Levi, Viktor Frankl ou Elie Wiesel. Seu dividendo digital será uma mistura de resumos e lixo completo encontrados em sites que falam da "Holo-farsa" como uma conspiração de "judeus ao estilo de Hollywood" e a "Grande Mentira". Por mais risíveis que sejam esses sites, eles representam uma maré entrante de veneno não filtrado que não ousamos ignorar. Quando o pluralismo saudável é suplantado pelo relativismo doentio, a suposição cultural é de que todas as opiniões são igualmente válidas. Onde estão as forças que exortam os jovens a exercer suas faculdades críticas enquanto não tiram os olhos de seus smartphones?

Como Hofstadter sabia, as teorias conspiratórias sempre se destacaram como um recurso explicativo. Na era da pós-verdade, como vimos, elas proliferaram tremendamente, pois seu apelo intrínseco à mente humana foi expandido por uma variedade de pressões e transformações. No século XXI, a mentalidade conspiratória é, em parte, uma resposta a um mundo de mudanças ocasionalmente atordoantes: a globalização e seus descontentes, a mobilidade populacional sem precedentes, a revolução digital, as formas em rápida mutação do extremismo e do terrorismo, as possibilidades estonteantes da biotecnologia.

Aqueles que examinam a fundo esse novo estrato da história humana descobrem mudanças estruturais que estão longe de ser reconhecidas, quanto mais atendidas. Martin Ford, em seu livro *Robôs, a ameaça de um futuro sem emprego*, descreve um mundo em que a educação, ainda desejável como promotora da decência cívica, não será capaz de acompanhar a automação destruidora de empregos, o que forçará o Estado a pagar uma renda básica a todos os cidadãos.[24]

Homo Deus — uma breve história do amanhã, o notável livro de Yuval Noah Harari, vai mais além com o argumento, vaticinando a suplantação do trabalho qualificado e também do semiqualificado por "algoritmos altamente inteligentes". Especialmente desanimadora é a

79

POS-VERDADE

profecia de Harari de que a espécie humana se dividirá em "uma classe alta algorítmica, dona da maior parte de nosso planeta" e "uma nova classe gigantesca: pessoas desprovidas de qualquer valor econômico, político ou até artístico".[25]

Mas você não precisa ler esses textos para sentir que essa reviravolta radical em nosso estilo de vida e em nossa forma de trabalho está à mão. Isso fica muito claro a partir da quantidade declinante de caixas nos bancos, da substituição de lojas por entrega on-line e das notícias de que a Amazon está considerando um novo tipo de supermercado que exigirá apenas três funcionários.[26]

Nesse cenário, é pouco surpreendente que, como vimos, a ideia de "controle" seja tão atraente. As teorias conspiratórias, para citar um psicólogo acadêmico, "abrem caminho em uma realidade desordenada, desconcertante e ambígua com uma simples explicação"[27]. Elas oferecem uma matriz de ordem, cuja atraente simplicidade eclipsa seus absurdos. Como o dr. Wilbur Larch observa em *As regras da Casa de Sidra*, de John Irving, a mentira pode ser um meio de recuperar poder:

> Quando você mente, isso faz você se sentir no comando de sua vida. Contar mentiras é muito sedutor para os órfãos. Eu sei. [...] Eu sei porque também as conto a eles. Adoro mentir. Ao mentir, você sente como se tivesse enganado o destino: o seu próprio e o de todo o mundo.[28]

Para os pais de filhos autistas, a afirmação de que a vacinação é o réu — embora frequentemente desmascarada — oferece o consolo parcial de causalidade e culpabilidade, preferível emocionalmente à ideia de que o universo é cruel e arbitrário. Para aqueles que não confiam na medicina convencional — ou no governo —, há um apelo inerente na teoria de que as "trilhas químicas" supostamente deixadas no céu pelos aviões provocam doenças ou infertilidade. Para muitos, a tolice

80

relativa a essa proposição é ofuscada por sua coerência interna: impõe uma estrutura sobre a música contraditória do acaso. Em um mundo de mudança e disrupção implacáveis, quem pode garantir que os prêmios de consolação dos conspiradores serão derrotados pelos rigores frios da verdade?

CAPÍTULO 4

O COLAPSO DA PEDRA FILOSOFAL: PÓS-MODERNISMO, IRONIA E A ERA DA PÓS-VERDADE

O PODER DAS IDEIAS

Entre os mitos mais perniciosos que afligem a nossa época inclui-se a insistência de que existe um abismo intransponível entre uma elite intelectual e "supereducada" e as "pessoas comuns" do "mundo real"[1]. Essa afirmação, repetida sem parar nos últimos anos, foi fundamental para a retórica da direita populista, embora não se restrinja a ela. Dizer que certos indivíduos são grandes espertalhões deixou de ser um gracejo: progrediu para um argumento que reforça a noção falsa de uma "classe metropolitana" agindo contra os melhores interesses da maioria, promovendo ideias de nenhuma relevância para a grande massa do público.

Esse argumento não é só desagregador e arrogante (como se aqueles fora das grandes cidades fossem incapazes de atividade intelectual), mas também ignora a evidência decisiva de nosso bocado histórico relativo ao poder das ideias. Reduzido aos seus fundamentos, o século xx foi uma experiência terrivelmente custosa em ideologias totalitárias — marxista e fascista —, demonstrando, sem sombra de dúvida, a porosidade entre vida intelectual e o mundo da ação.

Se Marx não tivesse trabalhado em *O Capital* no salão de leitura do Museu Britânico, após seu exílio em Londres, em 1849, a história do último século poderia ter sido diferente. Para citar a conhecida advertência de Isaiah Berlin em *Two Concepts of Liberty*:

> Quando as ideias são negligenciadas por aqueles que delas devem cuidar – isto é, aqueles que foram formados para pensar criticamente a respeito das ideias –, elas muitas vezes adquirem um ímpeto incontrolado e um poder irresistível sobre as multidões, que podem se tornar muito violentas para serem influenciadas pela crítica racional. Há mais de cem anos, o poeta alemão Heine advertiu os franceses para não subestimarem o poder das ideias: os conceitos filosóficos cultivados na quietude do escritório de um professor podem destruir a civilização.[2]

Não menos do que em qualquer outra época, a era da pós-verdade possui sua própria geologia intelectual — uma base na filosofia pós-moderna do final do século XX, frequentemente obscura e impenetrável, que foi popularizada e destilada ao ponto de se tornar reconhecível —, embora sem a citação de fontes de muitos aspectos da cultura contemporânea. Por mais hermético que isso possa parecer, vale a pena persistir nessa linha de inquirição. É impossível combater a pós-verdade sem uma compreensão de suas raízes mais profundas.

PÓS-MODERNISMO, BOM E MAU

O pós-modernismo é notoriamente resistente à definição exata, até o ponto em que alguns negam que possui alguma coerência como escola de pensamento. Sem dúvida, ele não é um corpo homogêneo de trabalho e, como consequência, tem tido um impacto difuso e até contraditório sobre o mundo externo à academia. Seus principais protagonistas (Michel Foucault, Jean-François Lyotard, Jacques Derrida, Jean Baudrillard e Richard Rorty, para nomear apenas cinco) mantêm um certo domínio sobre a imaginação intelectual contemporânea. Menos certo é o que, exatamente, eles quiseram dizer e o que eles legaram ao mundo atual.

Para os propósitos deste livro, vale a pena notar dois aspectos do pensamento pós-moderno. Do lado do crédito, eles estimularam a ideia de que uma sociedade cada vez mais pluralista precisaria reconhecer e prestar atenção às múltiplas vozes: as histórias de gênero, minorias étnicas, orientação sexual e tradição cultural. Os pensadores pós-modernos como Richard Ashley, Derrida e Foucault exortaram seus leitores a questionar e desconstruir a linguagem, o idioma visual, as instituições e o saber adquirido, e perguntar como as palavras, as histórias, a arte e a arquitetura podem preservar formas de poder e "hegemonia", às quais permaneceríamos cegos normalmente. Embora a prosa deles, repleta de jargões, fosse muitas vezes indigerível, foi parte de um anseio muito maior nos últimos 25 anos do século passado por inclusividade, diversidade, liberdade pessoal e direitos civis. E esse feito se mantém.

Ao mesmo tempo, seria ingênuo negar que os principais pensadores associados com essa escola pouco coesa, ao questionar a própria noção de realidade objetiva, desgastaram muito a noção de verdade. Seu terreno natural era a ironia, a superfície, o distanciamento e a fragmentação. Os filósofos pós-modernos preferiam entender a linguagem e a cultura como "constructos sociais"; ou seja, fenômenos políticos que refletiam a distribuição de poder através de classe, raça, gênero e sexualidade, em vez de ideais abstratos de filosofia clássica. E se tudo é um "constructo social", então, quem vai dizer o que é falso? O que impedirá o fornecedor da "notícia falsa" de afirmar ser um obstinado digital combatendo a "hegemonia" perversa da grande mídia?

Desde o início, os adversários do pós-modernismo objetaram que ele não era mais do que um reembalamento espalhafatoso de uma antiga discussão entre adeptos da verdade e relativistas. No século v a.C., Protágoras, filósofo traciano, sustentou que "o homem é a medida de todas as coisas" e que: "[Cada coisa] [...] parece para mim tal como ela é para mim, e parece para você tal como ela é para você." Nietzsche foi muito além, insistindo que a natureza humana era absolutamente *hostil* à noção de verdade:

> No homem, essa arte de simulação alcança seu ápice [...], a tremulação constante em torno da chama única da vaidade é tanto a regra quanto a lei de que quase nada é mais incompreensível do que a maneira pela qual um impulso honesto e puro pela verdade pode ter surgido entre os homens. Eles estão profundamente imersos em ilusões e imagens oníricas; seus olhos deslizam apenas sobre a superfície das coisas e enxergam "formas"; em nenhum lugar, seus sentimentos levam à verdade, mas se contentam com a recepção de estímulos, praticando, por assim dizer, um jogo de cabra-cega sobre os lados reversos das coisas.[3]

William James, o grande psicólogo e filósofo norte-americano, fez uma afirmação semelhante em linguagem menos excitável:

> A realidade "independente" do pensamento humano é uma coisa muito difícil de encontrar. Ela reduz a noção do que é apenas entrar na experiência e ainda ser nomeado, ou então a alguma presença aborígine imaginada na experiência, antes que qualquer crença acerca da presença tivesse surgido, antes que qualquer concepção humana tivesse sido aplicada. É aquilo que é absolutamente mudo e evanescente, o mero limite ideal de nossas mentes. [...] Se uma expressão tão vulgar nos fosse permitida, poderíamos dizer que, sempre que encontramos isso, isso já foi falsificado.[4]

Em outras palavras: a subversão da verdade como um ideal alcançável é tão antiga quanto a própria filosofia. O que os teóricos do pós-modernismo fizeram foi apresentar um novo tipo de relativismo, ajustado para sua época e inspirado por ela. Em seu livro *A condição pós-moderna*, de 1979, o filósofo francês Jean-François Lyotard propôs "uma incredulidade em relação às metanarrativas" — as "grandes narrativas" que sustentaram a filosofia desde o Iluminismo — e a própria ideia de "valor verdade".[5]

Em uma obra posterior, *O inumano — considerações sobre o tempo* (1988), ele apresentou, profeticamente: "... as questões nascidas da introdução espetacular do que se denominam as novas tecnologias na produção, difusão, distribuição e consumo de produtos culturais. Por que mencionar o fato aqui? Porque estão no processo de transformar a cultura em uma indústria."[6]

Lyotard considerou a revolução do século XX na ciência — a física quântica, em primeiro lugar — como profundamente significativa para os filósofos: "Os problemas a partir dos quais emergiram a geometria não euclidiana, as formas axiomáticas da aritmética e a física não newtoniana também são aquelas que deram origem às teorias da comunicação e informação."[7]

Sua conclusão foi desalentadora, ao ponto da desesperança: "Ao menos prestemos testemunho e, de novo, para ninguém, pensemos como desastre, nomadismo, diferença e redundância. Escrevamos nosso grafite, já que não podemos fazer inscrições. [...] O testemunho é um traidor."[8] Sem dúvida, tudo isso era estimulante numa sala de seminários e nos cafés da Rive Gauche, mas como modelo prático de vida era uma ação desesperada.

Consideremos outro exemplo: Baudrillard se sentiu atraído pela ciência dos signos ou semiótica. Em sua obra mais conhecida, *Simulacros e simulação* (1981), ele sustentou:

Vivemos em um mundo onde há cada vez mais informação e cada vez menos significado. [...] Apesar dos esforços de reinjetar mensagem e conteúdo, o significado está perdido e é devorado mais rápido do que pode ser reinjetado. [...] Em todos os lugares, a socialização é medida pela exposição às mensagens midiáticas. Quem quer que seja exposto por tempo insuficiente à mídia é dessocializado ou quase associal [...], quando achamos que a informação produz significado, ocorre o contrário.[9]

Em outras palavras, a tecnologia das comunicações subverteria nossas noções herdadas do real. Lembre que a profecia de Baudrillard a respeito da mídia social se tornar tanto uma medida de pertencimento como fonte de desinformação — "notícia falsa" — foi feita oito anos antes de sir Tim Berners-Lee inventar a World Wide Web, 23 anos antes do surgimento do Facebook e 25 anos antes da criação do Twitter. Nisso, como em outros aspectos, os textos pós-modernistas prepararam o terreno para a pós-verdade.[10]

FERRUGEM SOBRE O METAL DA VERDADE E SUAS CONSEQUÊNCIAS

Reduzido aos seus fundamentos ideológicos, o pós-modernismo era uma campanha teórica que apelava à esquerda desiludida, ansiando decifrar um século em que as antigas certezas da vanguarda marxista tinham se esfarelado diante dela. Muitas vezes incompreensível em sua terminologia e inquietação intelectual, seus protagonistas principais se esforçaram para encontrar uma nova política de emancipação social em meio aos escombros. Como mencionado acima, eles não falharam completamente.

Mas tampouco tiveram sucesso total. Solto no éter dos *campi*, da mídia e da vida cultural, o pós-modernismo se tornou mais um *estado de ânimo* do que uma filosofia coerente. Deu prestígio intelectual ao cinismo elegante e uma face diferente ao relativismo.[11] Independentemente das intenções de seus criadores — que eram muitas vezes opacos — tornou-se uma ferrugem sobre o metal da verdade.

Isso não importou enquanto houve um consenso difuso de que a verdade ainda era uma prioridade. Porém, como vimos, esse consenso entrou em colapso. Uma vez que Trump declarou que não tem tempo para ler, podemos ter certeza de que ele desconhece Baudrillard ou Lyotard. O que quer que ele seja, o 45º presidente não é pós-modernista. De fato, Stephen Bannon, seu conselheiro mais próximo, está francamente dedicado à restauração da antiga e conservadora hegemonia cristã; exatamente aquilo que os pós-modernistas procuraram desconstruir.

Trump é o *beneficiário* improvável de uma filosofia de que ele, provavelmente, nunca ouviu falar e, sem dúvida, menosprezaria. Sua ascensão ao cargo mais poderoso do mundo, desimpedida da preocupação com a verdade, acelerada pela força impressionante da mídia social, foi, ao seu modo, o momento pós-moderno supremo.

Em 2015, em um comício de campanha em Birmingham, no Alabama, Trump declarou: "Eu vi quando o World Trade Center veio abaixo. E eu assisti a isso em Jersey City [...], onde milhares de pessoas vibraram quando aquele prédio desmoronou". Era uma mentira completa.[12] Mas Trump simplesmente se recusou a reconhecer sua falsidade. "Tenho uma memória muito boa. Vi isso em algum lugar, na tevê, há muitos anos. E nunca me esqueci disso", ele afirmou quando desafiado em um programa da rede NBC.[13]

Baudrillard e seus colegas não poderiam ter invocado um melhor exemplo de "hiper-realidade", ou seja, o modo de discurso em que o hiato entre o real e o imaginário desaparece. Trump compôs uma recordação hiper-real e não desmentiria sua afirmação porque alguns pedantes poderiam não encontrar evidências para sustentá-la. É uma reflexão interessante que, gravada nos longos e parisienses parágrafos da intricada prosa pós-moderna, frequentemente preterida como absurdo indulgente, foi um prenúncio lúgubre do futuro político.

A pós-verdade representa render-se a essa análise: um reconhecimento pelos produtores e consumidores da informação de que a realidade agora é tão elusiva e nossas perspectivas como indivíduos e grupos tão divergentes, que não é mais significativo falar da verdade ou procurá-la. Há muito tempo, os pluralistas falavam de "valores incomensuráveis". A epistemologia da pós-verdade incita que aceitemos que existem "realidades incomensuráveis" e que a conduta prudente consiste em escolhermos lados, em vez de avaliarmos evidências.

Isso não é mais do que a ideia pós-moderna de "acordo comunitário". Ou como Richard Rorty afirmou: "Verdade é aquilo de que meus colegas me deixarão sair ileso."[14] Isso apaga a noção de realidade objetiva e a substitui pelo senso comum, pelo folclore e pelas imagens pixeladas que vemos na tela.

O que é previsto perfeitamente em *Mera coincidência*, filme satírico de Barry Levinson de 1997, que descreve a "representação" de uma guerra fictícia inventada para distrair a atenção dos eleitores de um escândalo sexual presidencial. Conrad Brean (Robert De Niro), reparador de encrencas políticas, entra em contato com um magnata de Hollywood, Stanley Motss (Dustin Hoffman), para "produzir" a "representação" militar de um conflito imaginário com a Albânia:

Conrad: Você assistiu à Guerra do Golfo? O que você viu dia após dia? Uma única bomba inteligente caindo dentro de uma chaminé. A verdade? Eu estava no prédio quando filmamos aquele disparo — em um estúdio, em Falls Church, na Virgínia. Uma maquete em escala de um para dez de um edifício.
Stanley: Isso é verdade?
Conrad: Como vamos saber? Você entende meu ponto de vista?

Mais tarde na história, Conrad fica aborrecido quando a CIA planeja em segredo com o adversário eleitoral do presidente uma declaração do fim da guerra não existente. No entanto, o produtor não é facilmente dissuadido e insiste que o filme é dele e de ninguém mais. Conrad reage, afirmando que o noticiário da tevê está informando que a guerra acabou, e que isso é o que conta. O que os dois homens estão discutindo não é a realidade, mas uma competição entre duas ficções. Eles estão falando acerca da pós-verdade.

De novo, lembremos o poder das ideias: seu efeito osmótico sobre o mundo das ações e também dos pensamentos. E é difícil exagerar o possível custo dessa tendência cultural específica. Em seu "Projeto de lei para a maior difusão geral do conhecimento", de 1779, Thomas Jefferson expressou de modo sucinto a necessidade da verdade como anteparo contra o autoritarismo e a ditadura:

> Mesmo sob as melhores formas [de governo], aqueles a quem foi atribuído poder, no devido tempo, e por meio de lentas operações, perverteram-se na tirania; e acredita-se que a maneira mais eficaz de impedir isso seria, iluminar, na medida do praticável, as mentes do público em geral e, sobretudo, dar-lhe conhecimento desses fatos, que a história exibiu [...], eles podem ser capacitados a perceber a ambição sob todas as suas formas e impelidos a exercer seus poderes naturais para derrotar os intentos dela.[15]

A característica proeminente da proposta de Jefferson era sua natureza *prática*. Ele entendeu a necessidade social da verdade e também sua importância filosófica. Da mesma forma, atualmente, a obsessão de Kant com a verdade seria, sem dúvida, desdenhada por alguns e considerada como "sinalização de virtude". Contudo, Kant estava certo ao prever as consequências virais da indiferença à mentira: "Uma mentira sempre prejudica o outro; se não algum outro homem específico, prejudica a humanidade em geral, pois invalida as fontes do próprio direito."[16]

O método indutivo de sir Francis Bacon — progredindo da observação para generalizações sustentadas apenas pelos fatos estabelecidos — foi a base da revolução científica e tudo o que ela produziu. Em sua magistral história do fato moderno — "a unidade epistemológica que organiza a maioria dos projetos de conhecimento dos últimos quatro séculos" —, a professora Mary Poovey, da Universidade de Nova York, mostra que a atividade comercial foi também fundamental para o crescente valor atribuído à informação verificável. Em particular, ela identifica duas instituições do capitalismo mercantil inicial: método de contabilidade por partidas dobradas e sistemas informais de contrato entre mercadores.[17]

Em outras palavras: a ascensão da verdade como força coesiva na atividade científica, jurídica, política e comercial foi um feito gradual e conquistado a muito custo. Além disso, é uma moeda única, cujo valor é determinado pelo grau em que é defendida em cada uma dessas esferas interligadas. Aqueles que supõem despreocupadamente que seu ameaçado colapso no mundo político não terá desdobramentos no resto da sociedade civil podem se preparar para um susto. A organização insensata da informação — minha "notícia falsa" *versus* a sua — coloca em perigo o valor da evidência sempre que ela é aplicada. Há um fio tortuoso que liga as mentiras de Trump com a pseudociência dos ativistas antivacina. A questão é como reagimos, o que fazemos a seguir.

MOTIVOS PARA SE ANIMAR

Não acho que nossa imunidade intelectual esteja arruinada: ainda não. É encorajador, por exemplo, que *1984*, de George Orwell, tenha alcançado o topo da lista dos livros mais vendidos da Amazon dias depois que Kellyanne Conway exortou os norte-americanos a aceitar os "fatos alternativos"[18]. O romance clássico descreve um mundo totalitário, em vez de uma sociedade fragmentada, globalizada e interconectada como a nossa. Orwell não previu o poder transformativo da tecnologia, imaginando que os novos blocos de poder controlariam rigidamente seu avanço, para manter a privação e a falta de bem-estar que eram fundamentais para seu controle das massas. Porém, as simetrias entre a ficção de Orwell e nossa experiência são bastante evidentes. A ideia do "duplipensar" — "o poder de manter duas crenças contraditórias na mente de uma pessoa, e aceitar as duas" — é o antepassado direto da pós-verdade.

Assim também é a advertência de que Winston Smith recebe de O'Brien, interrogador do Partido Interno: "A realidade não é externa. A realidade existe na mente humana, e em nenhum outro lugar. [...] Tudo o que o Partido reconhece como verdade *é* a verdade. É impossível enxergar a realidade a não ser pelos olhos do Partido." Em resposta à máxima de Winston de que "Liberdade é a liberdade de dizer que dois mais dois são quatro", O'Brien o tortura até ele ver não quatro, mas "uma floresta de dedos [...] movendo-se em uma espécie de dança, entrelaçando-se para dentro e para fora, desaparecendo atrás um do outro e reaparecendo novamente". Ele questiona a objeção de Winston: "Vocês não controlam nem o clima nem a lei da gravidade. Sem falar nas doenças, na dor, na morte..."

> O'Brien o silenciou com um gesto de mão. "Nós controlamos a matéria porque controlamos a mente. A realidade está dentro do crânio. [...] Não há nada que não possamos fazer. Invisibilidade, levitação. Qualquer coisa. Se eu quiser, posso flutuar como uma bolha de sabão. [...] Você precisa se livrar dessas ideias do século XIX sobre as leis da natureza. Nós fazemos as leis da natureza."[19]

É encorajador saber que ao menos algumas pessoas estão voltando uma vez mais ao romance de Orwell, ou a *Não vai acontecer aqui*, de Sinclair Lewis, a respeito da eleição de um presidente fascista, ou a *Origens do totalitarismo*, análise clássica de Hanna Arendt.

A sátira também oferece motivos para esperança. Como gênero, é mais bem-sucedida quando encontra humor na ansiedade contemporânea. Assim, é reconfortante recordar que, em 2005, Armando Iannucci e Jesse Armstrong, autores do seriado de tevê *The Thick of It*, captaram a essência da pós-verdade já no primeiro episódio da primeira temporada, em que Malcolm Tucker, marqueteiro político aterrorizante, está explicando a Hugh Abbot, ministro assediado, como dar uma reviravolta em relação a uma história potencialmente prejudicial:

Hugh: O que, hum... O que vamos fazer agora?

Malcolm: Você vai reverter completamente sua posição.

Hugh: Olhe, não, espere um instante. Espere, Malcolm. Não é realmente que, hum... Isso vai ser bastante difícil, sério.

Malcolm: Sim, bem, a declaração que você não fez hoje... Você *fez*.

Hugh: Não, não, não fiz. E havia câmeras de tevê ali enquanto eu não estava fazendo isso.

Malcolm: Danem-se.

Hugh: Não tenho muita certeza de como... Em que nível de realidade eu devia estar atuando.

Malcolm: Veja, é assim que eles se relacionam. Eu conto para eles que você disse isso e eles acreditam que você disse isso. Eles não acreditam *realmente* que você disse isso. Eles sabem que você nunca disse isso.

Hugh: Certo.

Malcolm: Mas é do interesse deles dizer que você disse isso, porque, do contrário, eles não vão entender o que você dirá amanhã ou no dia seguinte quando eu decidir contar para eles o que você está dizendo.

Hugh: Certo.

Esse diálogo trata como pouco importante o solapamento sistemático da verdade em que os políticos e a mídia entram em conluio. No entanto, também reflete a capacidade de a boa sátira agir como um sistema de advertência inicial. O que Malcolm descreve para Hugh é o contrato pernicioso que se situa no cerne da pós-verdade. A conversa deles é engraçada exatamente porque abrange a ansiedade subconsciente da audiência em relação ao contrato. Parodia uma chama intelectual.

Se a pós-verdade tira algo de sua inspiração das ideias pós-modernas, vale notar que essas ideias se distanciaram muito do gosto intelectual nas últimas décadas. O falecido escritor e acadêmico David Foster Wallace foi um dos primeiros a fazer uma declaração pública sobre suas limitações. Embora criados no que ele e outros chamaram de época "po-mo" (pós-moderna), Wallace questionou o que denominou "ironia institucionalizada": não a ironia saudável da sátira, do ceticismo e da irreverência bem dirigida, a força vital de uma democracia, mas, como ele afirmou, a "variedade enfraquecedora", que leva a parte alguma e não alcança nada. A metáfora que ele escolheu foi significativa: "Os rebeldes do Terceiro Mundo são notáveis em expor e pôr fim aos regimes hipócritas e corruptos, mas parecem menos notáveis na tarefa mundana e não negativa de estabelecer uma alternativa de governo superior. [...] Sem dúvida: a ironia nos tiraniza."[20]

No lugar do pós-modernismo, a escola do Novo Realismo surgiu, particularmente na obra do filósofo italiano Maurizio Ferraris. Inicialmente influenciado por Lyotard, Foucault e (sobretudo) Derrida, Ferraris abandonou mais tarde o relativismo e adotou uma forma de objetivismo realista. Ele reconheceu: "[Seu compromisso anterior] era politicamente insuficiente, já que se apresentava como uma maneira de mudar o mundo para melhor, emancipando-o, mas, de fato, tratava-se apenas de uma maneira de criar ilusões nas massas governadas pelo poder — como o populismo midiático demonstrou. 'Não há fatos, mas apenas interpretações', acabou significando 'A razão do mais forte é sempre a melhor'." O realismo pode ser observado em características de "resistência" (não posso usar uma chave de fenda para beber suco de laranja) e de "conformidade" (mas posso usá-la para apertar um parafuso ou fazer um buraco).[21]

Ferraris escreve em *Positive Realism* (2014): "O propósito da filosofia não é criar um mundo alternativo ao postulado pela ciência, quer através da referência ao senso comum e ao "mundo da vida", quer através da transcendência do senso comum e da busca por paradoxos. É uma questão de construir uma ponte entre a ciência e o senso comum, entre o que pensamos (ou o que cientistas pensam) e o que experimentamos."[22]

Esse novo otimismo também se encontra nos textos do célebre filósofo, romancista e jornalista Umberto Eco, que morreu em 2016. Três anos antes de sua morte, ele fez um discurso em Atenas, refletindo sobre o realismo que abraçou em um livro anterior: "Lembremos que nem mesmo Nietzsche negou a existência das 'forças terríveis' que constantemente nos pressionam. Em meu livro *Kant e o ornitorrinco*, chamei essas forças terríveis de o núcleo duro do Ser."

Eco prossegue:

> Ao falar de um núcleo duro, não penso em algo como um núcleo estável, que podemos identificar mais cedo ou mais tarde – não a Lei das Leis, mas, de modo mais prudente, linhas de resistência que representam algumas de nossas abordagens estéreis. Essa ideia de "linhas de resistência", pelas quais algo que não depende de nossas interpretações as desafia, pode representar uma forma de Realismo Mínimo ou Negativo de acordo com fatos que, se dificilmente me dizem que estou certo, frequentemente me dizem que estou errado.

O COLAPSO DA PEDRA FILOSOFAL: PÓS-MODERNISMO, IRONIA E A ERA DA PÓS-VERDADE

Eco conclui: "Em caso positivo, o Ser pode não ser comparável a uma rua de mão única, mas a uma rede de autoestradas com diversas faixas de rolamento, ao longo da qual podemos viajar em mais do que uma direção; porém, apesar disso, algumas estradas continuarão sendo becos sem saída."[23]

Por que devemos nos preocupar com as reflexões refinadas de Ferraris e Eco? Porque, como Isaiah Berlin afirmou, as ideias contam. Com mais frequência do que queremos reconhecer, os filósofos são exploradores culturais, mapeando previamente o terreno desconhecido sobre ·o qual caminharemos em breve. Se os pensadores pós-modernos foram os profetas involuntários da pós-verdade, pode ser que os novos realistas sejam pioneiros de um novo surto da evidência e da exatidão.

Como o filósofo Simon Blackburn disse: "Podemos tirar as aspas pós-modernas das coisas que devem importar para nós: verdade, razão, objetividade e confiança. Elas não são menos, se não mais, do que as virtudes que devemos todos valorizar ao tentarmos entender o mundo desconcertante a nosso redor."[24]

Não há certeza em tal renascimento, nem existe inevitabilidade histórica. No entanto, é um erro ceder às ações desesperadas que se seguiram ao Brexit e à eleição de Trump. O relativismo só terá êxito se permitirmos. Em uma conhecida metáfora, David Hume escreveu que as diferenças que são inatas a um mundo complexo podem ser superáveis: "O Reno corre para o norte, o Reno corre para o sul; mas os dois nascem da *mesma* montanha, e também são movidos em suas direções opostas pelo *mesmo* princípio da gravidade. As inclinações diferentes do leito sobre o qual os dois correm provoca toda a diferença de seus cursos."[25]

Em uma sociedade multiétnica e multirreligiosa, o objetivo nunca pode ser impor uniformidade absoluta: isso seria indefensável eticamente, assim como terrivelmente enfadonho. O objetivo é identificar o cerne das normas culturais, dos deveres legais e das responsabilidades sociais ao qual todos os cidadãos devem aderir, independentemente de suas opiniões particulares.

A diversidade é, e vai continuar a ser, um dado básico, mesmo com a nova coorte de nativistas afirmando o contrário. O desafio é identificar o denominador comum da troca social, intelectual e prática sobre a qual todos concordam. A pós-verdade alimenta a alienação, o desarranjo e o silêncio entorpecedor. A maior missão cívica que temos pela frente é esvaziar a calha.

CAPÍTULO 5

"O FEDOR DAS MENTIRAS": ESTRATÉGIAS PARA DERROTAR A PÓS-VERDADE

SEM VOLTAR PARA TRÁS

A sobrevivência da civilização, da razão e da verdade científica não é predeterminada. As raízes da Idade de Ouro do Islã costumam ser detectadas no reino do grande califa abássida Harun al-Rashid (786-809) e sua fundação da Casa de Sabedoria, em Bagdá. Os feitos dessa era foram prodigiosos: em educação, matemática, ciência natural, artes e filosofia (notadamente Ibn Rushd, ou Averróis, o grande aristotélico do século XII). No entanto, simbolicamente ao menos, a Idade de Ouro chegou ao fim com a destruição de Bagdá e da Casa da Sabedoria em 1258 pela invasão de Hulagu Khan, imperador mongol.

Em 1421, a China era um centro mundial de investigação e aprendizado científico, uma sociedade expansionista de ambição intelectual e horizonte geográfico aparentemente ilimitados. No entanto, a recém-construída Cidade Proibida foi atingida por um raio em 9 de maio daquele ano: um presságio que o imperador Zhu Di receou ser uma advertência terrível dos deuses de que o Império do Centro (China), em sua ambição, comércio e fervor por construções, tivesse se tornado irreligioso. As consequências desse fenômeno meteorológico único foram monumentais. Em 1424, Zhu Gaozhi, filho de Zhu Di, ordenou a cessação imediata das construções, dos reparos e das viagens das frotas em busca de tesouros. Posteriormente, o comércio exterior foi proibido, assim como, por um tempo, o aprendizado de línguas estrangeiras. Ao rejeitar seus feitos em alto-mar e na ciência, a China se refugiou em um longo isolamento.

Nossa própria era da pós-verdade é uma amostra do que acontece quando uma sociedade afrouxa em sua defesa dos valores que sustentam sua coesão, ordem e progresso: os valores da verdade, honestidade e responsabilização. Esses valores não são autossustentáveis. Sua manutenção é produto da decisão, ação e colaboração do ser humano. Não há pêndulo histórico a indicar que a pós-verdade recuará inevitavelmente. Nem sua prevalência atual é obra de um indivíduo único. Aqueles que acreditam que os problemas discutidos nestas páginas passarão quando o presidente Trump deixar o cargo (20 de janeiro de 2025, se ele se reeleger e concluir um segundo mandato) estão confundindo as folhas das ervas daninhas com suas raízes. Correr contra o relógio não é uma opção.

Então, o que fazer? A pós-verdade é uma tendência, e profundamente alarmante. Mas não é um ponto-final. Aqueles desanimados com essa virada incorreta precisam se reerguer e contra-atacar. A pior resposta possível é a passividade muda. O melhor é identificar e adotar aquelas medidas práticas que vão defender a verdade de seus antagonistas, realçar seu valor e assegurar sua centralidade em um contexto social e tecnológico radicalmente transformado.

Este *não* é absolutamente um projeto restauracionista ou patrimonial, uma missão para retroceder o tempo a um passado imaginado de verdade imaculada. Nunca houve esse tempo e, mesmo se houvesse, seria impossível recriá-lo. É uma afirmação central deste livro que a tecnologia digital foi a infraestrutura principal da pós-verdade. Mas seria absurdo — e profundamente antidemocrático — recomendar o recuo dessa revolução.[1] A questão é o que melhor fazer dentro de suas fronteiras rapidamente mutáveis.

O ESPECTRO DO ESCRUTÍNIO

A sobrecarga de informação significa que todos nós devemos nos tornar editores: filtrar, checar e avaliar o que lemos. Da mesma forma que crianças são ensinadas a como entender textos impressos, suas faculdades críticas devem ser treinadas para enfrentar os desafios muito diferentes de um feed digital. Que selo de qualidade, caso exista, recomenda um post ou site específico como fonte confiável? As recomendações sugeridas são apoiadas por links, notas de rodapé ou dados convincentes? A tendência de alguns professores de tratarem a internet como fonte de segunda categoria não percebe o sentido exato da questão. Para a geração agora na escola, e aquelas que vão chegar, é a *única* fonte significativa.

À medida que os próprios livros migram para a nuvem — um processo já bem avançado —, aqueles de nós que ainda gostam de textos físicos como artefatos da mente serão considerados amantes de antiguidades. Deveria ser uma tarefa básica de educação de primeira categoria — e não de segunda — ensinar as crianças a selecionarem a torrente digital e discriminá-la.

Ensinar a navegar na web com discernimento é a missão cultural mais urgente de nossa época. Os melhores podcasts já proporcionam ajuda nessa tarefa — ajudando o ouvinte ou o visualizador a refletir a respeito das efusões digitais da semana, ou do dia, e sujeitá-las a análise (embora com rigor variado). Em sua simplicidade e objetividade, essa nova forma de conteúdo — em geral, dois apresentadores discutindo em detalhes um tópico contemporâneo — é o descendente punk do diálogo socrático.

Essa é a extremidade suave do espectro do escrutínio. As investigações de código aberto dos grupos de jornalismo cidadão, como o Bellingcat — que junta os pedaços de milhares de fragmentos de dados on-line para chegar a suas conclusões —, também contribuirão para um novo sistema de freios e contrapesos. Embora ainda controvertidas, as investigações de alta tecnologia do Bellingcat sobre o destino do voo Malaysian Airlines 17, em 17 de julho de 2014, filtrando através de imensas quantidades de informação digital, mostram o que pode ser feito.[2]

Nas circunstâncias mais extremas, devemos estar prontos para litigar. Um precedente — sem solução até o momento da escrita deste livro — é a ação judicial aberta na Alemanha pelo refugiado sírio Anas Modamani contra o Facebook. Em 2015, Modamani tirou uma *selfie* com a chanceler alemã Angela Merkel quando ele morava num abrigo em Berlim e postou em sua página do Facebook. Desde os ataques terroristas em Bruxelas, em março de 2016, e no mercado de Natal, em Berlim, a imagem (que Modamani fez) foi usada repetidas vezes na mídia social e em sites de notícia falsa, acusando-o falsamente de atos terroristas e ligações com grupos terroristas. Ele espera que sua ação judicial obrigue o Facebook a remover todos os posts que o caluniam dessa maneira e a indenizá-lo de forma adequada cada vez que a rede social fracassar nessa tarefa.

A essência do caso é o hiato entre a lei e o que o Facebook descreve como "padrões da comunidade", e quem é responsável pelas violações da primeira. A gigante da mídia social afirma que alegações difamatórias são responsabilidade legal daqueles que as postam. Na audiência em Würzburg, o juiz Volkmar Seipel admitiu que a lei não acompanhou a mudança tecnológica; uma dica importante para legisladores em todo o mundo que terão de confrontar esse problema e similares com uma frequência cada vez maior.[3] Esses casos têm mais do que importância legal intrínseca: eles representam um sinal de advertência cultural, exortando a ação daqueles em posição de enfrentar questões suscitadas por ressentimentos específicos.

TECNOLOGIA, CURA-TE A TI MESMA

Em sua carta para assinalar o 28º aniversário da World Wide Web, sir Tim Berners-Lee foi categórico a respeito dos deveres das gigantes de tecnologia de arcar com essa responsabilidade:

> Hoje, a maioria das pessoas encontra notícias e informações na web por meio de alguns poucos sites de mídia social e mecanismos de busca. Esses sites ganham mais dinheiro quando clicamos nos links que eles exibem para nós. E eles escolhem o que exibir para nós com base em algoritmos que tomam conhecimento de nossos dados pessoais e que são coletados constantemente. O resultado líquido é que esses sites nos exibem conteúdo em que acham que vamos clicar, o que significa que a desinformação, ou as "notícias falsas", que é surpreendente, chocante ou projetada para apelar aos nossos vieses pode se espalhar rapidamente. [...] Aqueles com más intenções podem manipular o sistema para espalhar desinformação para ganho financeiro ou político.[4]

Ainda que sir Tim se opusesse de modo firme e justificado à "criação de quaisquer entidades centrais para decidir o que é 'verdade' ou não", ele recomendou que "guardiões, como Google e Facebook" reconhecessem sua responsabilidade como os distribuidores de informação mais poderosos do mundo.

Talvez para se antecipar a uma onda de regulação nacional e supranacional, as empresas de tecnologia e os sites de mídia mais poderosos empreenderam agora uma série de investigações para ver o que pode ser feito para enfrentar as patologias da pós-verdade. A BBC, por exemplo, criou uma equipe para identificar e desmascarar notícia falsa em todas as suas formas. "A BBC não pode editar a internet, mas também não podemos ficar de lado", afirmou James Harding, seu diretor de notícias. "Vamos checar as informações dos eventos atípicos mais populares no Facebook, no Instagram e em outras mídias sociais. Estamos trabalhando com o Facebook, em particular, para ver como podemos ser mais eficazes. Quando encontrarmos histórias deliberadamente enganosas se disfarçando de notícias, publicaremos um 'Teste de Realidade' que dará essa informação."[5]

Como empresa de radiodifusão pública, financiada sobretudo por uma taxa de licença e ainda confiável em todo o mundo, a BBC está em uma posição única de oferecer um poderoso (e viral) serviço de checagem de informações. Promete mais *"slow news"* (análises e explicações em profundidade) para equilibrar as perspectivas efêmeras do assim chamado "ciclo Twitter" — no entanto, no ambiente de novas mídias, seus canais de notícias 24 horas permanecerão sob imensa pressão para ser os primeiros a dar notícias, e corretas.

Para os gigantes da tecnologia, cujos faturamentos dependem dos cliques, da propaganda e (em alguns casos) das compras on-line, a questão de editar conteúdo foi inicialmente marginal. Agora, porém, o Google criou uma "Digital News Initiative", financiando a organização Full Fact em um total de 50 mil dólares, para elaborar um sistema de checagem de informações automatizado. Enquanto isso, em janeiro de 2017, o Facebook também anunciou seu próprio "Journalism Project" que procurava "estabelecer vínculos mais fortes [...] [com] a indústria de notícias".

O objetivo explícito era "prover as pessoas com o conhecimento de que precisam para ser leitores inteligentes da era digital". A empresa de rede social também reforçou sua colaboração com a First Draft Partner Network, grupo de editores e plataformas, para ajudar a encontrar maneiras de verificar o conteúdo da mídia social. Em dezembro de 2016, o Facebook anunciou um novo sistema que permitiria que um artigo de notícia falsa fosse sinalizado, acionando um processo de verificação e marcação que advertiria os usuários para tratá-lo com cautela.

"O FEDOR DAS MENTIRAS": ESTRATÉGIAS PARA DERROTAR A PÓS-VERDADE

Para esse fim, o Facebook já está trabalhando com cinco checado-res de informações independentes: ABC News, AP, Factcheck.org, PolitiFact e Snopes.[6] Mark Zuckerberg, fundador do Facebook, falou de "sistemas técnicos para detectar o que pessoas vão sinalizar como falso antes que elas o façam", mas não está claro se a concretização dessa aspiração está próxima. Em março de 2017, a empresa lançou um sistema piloto que alertava usuários que tentavam compartilhar "conteúdo contestado" e direcionava aqueles que buscavam informa-ções adicionais ao código de princípios adotados pela International Fact-Checking Network.

Enquanto isso, a empresa controladora do Snapchat, popular apli-cativo de mensagens com base em imagens, também divulgou novas diretrizes para enfrentar o problema, declarando que todo o conteúdo em seus canais "Discover" tinha de estar "checado e exato", que os links não podiam ser "enganosos, capciosos ou fraudulentos" e que os editores não podiam "personificar ou afirmar ser outra pessoa ou enti-dade, criar uma aparência falsa para uma organização ou utilizar o conteúdo de uma maneira que engana, confunde ou ludibria os outros ou tem a intenção de fazê-lo"[7].

No início de 2017, para não ficar para trás, Tim Cook, CEO da Apple, afirmou que as notícias falsas estavam "matando as mentes das pessoas" e que as gigantes de tecnologia, incluindo a sua própria, pre-cisavam trabalhar com os governos para impedir sua difusão. "Tem de ser enraizado nas escolas, tem de ser enraizado no público", Cook disse ao *Daily Telegraph*. "É preciso que seja uma grande campanha. Temos de pensar em cada grupo demográfico. Precisamos de uma versão moderna de uma campanha de serviço público. Ela pode ser feita rapidamente se houver vontade."[8]

Como Cook admitiu, havia uma tensão direta entre esse objetivo e a prevalência do caça-cliques. "Estamos atravessando esse período em que, infelizmente, algumas das pessoas que estão ganhando são as que passam seu tempo tentando conseguir o máximo de cliques, e não dizer o máximo de verdade." Também é verdade que esses compromissos dos gigantes da tecnologia só terão eficácia se a pressão pública for mantida: muito do que é apresentado como responsabilidade social empresarial não passa de falsa virtude, de falsa benevolência.

No cerne da retórica e dos lançamentos de projetos espalhafatosos está a convicção de que a internet vai se curar sozinha, que os próprios algoritmos que dirigem atualmente o tráfego para sites de notícias falsas podem ser modificados para produzir o efeito contrário e impedir sua difusão. Charles Leadbeater, autor de *We-Think*, observou que, na primeira fase de Web 2.0, sites como Wikipédia e os softwares de código aberto floresceram depois que atraíram um grupo de colaboradores chave "para assegurar a qualidade e limitar o vandalismo", algo como "uma aristocracia especializada interligada firmemente". As comunidades criativas, ele disse, "não são igualitárias"[9].

Porém, nove anos depois dos comentários de Leadbeater, a web cresceu exponencialmente, já que possui seu papel como fonte de informação número um.[10] Em consequência, exerceu uma força gravitacional sobre aqueles que controlariam a maneira pela qual pensamos e nos comportamos. Em um artigo muito discutido do *Observer*, publicado em fevereiro de 2017, a jornalista Carole Cadwalladr traçou o papel do bilionário Robert Mercer, cientista da computação e financiador de fundos multimercado, em transformar a paisagem da mídia e da informação. Aliado próximo de Steve Bannon, estrategista-chefe de Trump, Mercer está ligado à Cambridge Analytica, empresa de análise de dados norte-americana, que afirma ter perfis psicológicos de 220 milhões de eleitores norte-americanos e, supostamente, ajudou o Leave.EU durante a campanha do referendo do Brexit.

A base desses perfis são os dados livremente disponíveis na mídia social, sobretudo o Facebook. Rastreando as informações em cada página ou feed, os algoritmos analíticos podem construir retratos psicométricos bastante precisos de indivíduos, seus gostos, suas afinidades e suas presunções. Portanto, a manipulação da propaganda pode

"O FEDOR DAS MENTIRAS": ESTRATÉGIAS PARA DERROTAR A PÓS-VERDADE

ser ajustada não só para grupos demográficos, mas também para *eleitores individuais*: a aspiração acumulativa é mudar o humor público sem recorrer a ferramentas mais desajeitadas da propaganda antiquada. Por que se preocupar com as antigas técnicas de manipulação quando você tem programas itinerantes que podem soltar palavras-chave e opiniões sob medida em feeds da mídia social?

Mais uma vez, o objetivo é desencadear emoções, e não vencer um debate baseado em evidências. Para usar uma expressão que Bannon adora, o guerreiro político moderno procura converter em arma a notícia falsa, de modo que ela se torne, como Cadwalladr afirma: "... um ataque suicida no coração de nosso sistema de informação. Com a bomba presa no nosso corpo vivo: a grande mídia." Os métodos de propaganda criados na Rússia migraram para o Ocidente e estão sendo postos em ação sobre populações quase universalmente alheias ao fato de que suas páginas da mídia social estão sendo garimpadas em busca de dados por um novo complexo industrial de informações.[11]

Contra esse poder de fogo plutocrático, político e algorítmico, a batalha para defender a verdade é ainda mais hercúlea. Para começar com o básico: checar informações em um espaço virtual inimaginavelmente gigantesco é uma tarefa que, em última análise, é muito grande para seres humanos, por mais bem-intencionados e diligentes que sejam. Como consequência, deve acabar sendo mecanizado. O primeiro passo seria classificar as fontes midiáticas de acordo com sua credibilidade estabelecida, automatizando a função de um cão de guarda consumidor. Os piores sites seriam colocados em uma lista negra e sinalizados como tal no navegador do usuário.

Outros prováveis métodos são mais sofisticados. A investigação mostrou que a informação exata tende a ser retwittada pelos usuários que twittam com frequência e possuem muitos seguidores. Os algoritmos podem vasculhar os posts em busca de comentários claramente céticos; uma preponderância dessas sugere boato ou mentira absoluta. Em um nível mais profundo, as conexões entre aqueles que twittam as

PÓS-VERDADE

mesmas histórias podem ser examinadas, para ver se está se espalhando de forma legítima ou por meio da intervenção de "bots" não humanos (um *bot* é um software que se infiltra na web para se apossar de informação, monopolizar mercados e simular outras formas de ação humana).[12]

Essas iniciativas são o equivalente digital das antigas estruturas de autoridade na interação humana: detectam a legitimidade nas credenciais, nas afiliações e na linguagem da fonte. Mas esses algoritmos não seriam aprovados no Teste de Turing — os protocolos criados pelo grande criptoanalista Alan Turing para distinguir entre inteligência humana e máquinas. Embora seja fácil imaginar a codificação que descarta, ou sinaliza, as notícias falsas mais flagrantes, ou faz uso de uma enorme base de dados de conhecimento verificado para conferir a informação postada, um sistema que pode detectar todas as mentiras, ou a maioria delas, em tempo real, precisaria de Inteligência Artificial plenamente desenvolvida, incluindo sensibilidade à nuança linguística, à insinuação, ao conteúdo emocional e à intenção aparente. Pergunte a um jogador profissional de pôquer como ele percebe um *"tell"* (ação que dá pistas a respeito das cartas de um determinado jogador): a resposta será longa e complicada, enraizada na sutileza mais profunda do comportamento humano. Ou recorde a fala típica proferida por Christopher Walken no papel do *consigliere* da máfia Vincenzo Coccotti em *Amor à queima-roupa*, filme de Tony Scott, de 1993:

> Sabe, os sicilianos são grandes mentirosos. Os melhores do mundo. Eu sou siciliano. Meu pai era o campeão mundial dos pesos-pesados dos mentirosos sicilianos. Por crescer ao lado dele, aprendi a pantomima. Há 17 coisas diferentes que um rapaz pode fazer para não ser desmascarado quando mente. Um rapaz tem 17 pantomimas. Uma mulher tem vinte; um rapaz tem 17. Mas se você as conhece como conhece seu rosto, elas enganam todos os detectores de mentiras numa boa. Agora, o

que temos aqui é um pequeno jogo de mostrar e dizer. Você não precisa me mostrar nada. Mas você está me dizendo tudo.

Podemos imaginar um algoritmo capaz de perceber as "pantomimas" de Coccotti? Um aplicativo que pode detectar um "mentiroso siciliano"?

Uma máquina capaz de detectar o crescimento de um nariz de Pinóquio não existe — ainda. Os pontos fracos bem documentados do método do polígrafo exemplificam os problemas inerentes enfrentados pelos detectores de mentiras mecanizados.[13] Contudo, o ritmo pelo qual a Inteligência Artificial está evoluindo sugere que esses problemas poderão ser superados antes do que imaginamos.

FATOS NÃO SÃO SUFICIENTES

Enquanto isso, o *Homo sapiens* deve combater a pós-verdade. Em seu livro sobre os perigos da estatística, o psicólogo Daniel Levitin insiste que a devida diligência exigida dos cidadãos atuais é parte de "uma barganha implícita que todos fizemos". As tarefas triviais de pesquisa e recuperação de informação que costumavam consumir dias podem agora ser realizadas em segundos em um smartphone ou em um tablet. "Economizamos horas incalculáveis de deslocamentos até bibliotecas e arquivos dispersos, de busca em livros grossos de um trecho que responderá a nossa pergunta", Levitin escreve. "A barganha implícita que todos precisamos explicitar é que usaremos *algo* desse tempo que economizamos na aquisição de informação para realizar a devida verificação da informação."

Levitin recomenda como kit de ferramentas os métodos criados por Thomas Bayes (1701-61), estatístico e filósofo inglês, pelos quais a probabilidade de verdade de uma proposição é determinada pelo acúmulo incremental de evidências.[14] Quanto mais um médico fica sabendo de nossos sintomas, mais precisamente ele consegue diagnosticar nossa doença. Quanto mais evidências verificáveis temos das ligações do presidente Trump com a Rússia, mais podemos afirmar com certeza sobre a probidade de seu relacionamento com o governo russo. Precisamos recuperar a paciência para aplicar essa técnica.

Essa é uma demanda justa a se fazer. Porém, para ter uma chance de sucesso, essas estratégias devem ser promovidas no mundo como ele é, em vez de no mundo como ele era outrora. Em particular, como o "efeito tiro pela culatra" exemplifica, é um erro imaginar que a pós-verdade repetida de modo incessante e ubíquo se esfarelará sob o peso de informação recém-verificada.

De fato, é um erro comum confundir dados com verdade: os primeiros permeiam o último, mas não são a mesma coisa. No referendo do Brexit, o maior erro dos defensores da permanência na União Europeia foi supor que torrentes de estatísticas seriam suficientes para alcançar a vitória. Na Guerra do Vietnã, aquilo que Viktor Mayer-Schönberger e Kenneth Cukier chamam de "ditadura dos dados" teve um impacto desastroso na estratégia norte-americana. Robert McNamara, secretário da Defesa dos presidentes Kennedy e Johnson, exibia uma fé quase religiosa no poder das estatísticas para orientar a política pública. Como consequência, a "contagem de corpos" diária — a quantidade de inimigos mortos — tornou-se o "ponto de dados" decisivo.

Secretamente, e depois publicamente, os generais acreditavam que essa estatística era uma medida inútil de sucesso naquele complexo contexto militar e político. Sua centralidade para o debate também ensejou a falsificação: no campo de batalha, oficiais supostamente inflaram os números como algo natural. A verdade da batalha não pode ser captada em uma planilha ou em um conjunto de gráficos. Assim como o caso da permanência britânica na União Europeia não podia ser reduzido a uma série de estatísticas.[15]

Nas circunstâncias corretas, uma mentira pode ser derrotada pela aplicação habilidosa dos fatos. No entanto, a pós-verdade é, acima de

"O FEDOR DAS MENTIRAS": ESTRATÉGIAS PARA DERROTAR A PÓS-VERDADE

tudo, um fenômeno emocional. Diz respeito à nossa atitude em relação à verdade, e não à própria verdade.

A partir disso, deveria ficar claro que o contra-ataque tem de ser emocionalmente inteligente e também rigorosamente racional. Em seu relato sobre a negação da ciência, Sara e Jack Gorman insistem que os acadêmicos e os pesquisadores devem melhorar seu desempenho de forma apropriada na esfera pública. Da mesma forma que os adversários da vacinação aplicaram técnicas relacionadas ao apoio de celebridades, "líderes carismáticos cientificamente confiáveis" são necessários para se opor às suas declarações.[16] Em uma época em que o professor Brian Cox consegue encher estádios, o astronauta britânico Tim Peake é cercado por fãs e o professor Stephen Hawking é um ícone cultural, essa não é uma expectativa absurda. Como os Gorman afirmam:

> Propomos que os cientistas não só se tornem fluentes no tipo de informação que encaramos na internet, mas também ingressem na conversa de modo muito mais ativo. Achamos que as sociedades científica e médica, em particular, têm muito a ganhar formalizando uma estratégia on-line e de mídia social ampla e de longo alcance. Sim, atualmente, todas as sociedades científicas e médicas possuem sites, enviam newsletters e digitalizam suas publicações. No entanto, quantas possuem uma conta de Twitter ou Facebook verdadeiramente ativa, fornecendo cobertura atualizada para o grande público acerca de importantes questões científicas e médicas?

Porém, a refutação rápida é apenas o começo. Como os Gorman reconhecem:

> A discussão deve se basear não só em como tornar o material acessível, mas também em como apresentá-lo de maneira a desestimular a resposta irracional. [...] Em vez de só dizer para

> as pessoas o risco percentual, os cientistas precisam entender o que essas porcentagens realmente significam para as pessoas e, mais importante, enquadrá-las de uma maneira que será mais convincente e aceitável para os não cientistas. Um pouco de treinamento em psicologia cognitiva e economia comportamental deve deixar os cientistas mais cientes dos vieses e das heurísticas que os indivíduos utilizam para interpretar a informação científica e lhes ensinar como se comunicar em relação a esses processos psicológicos [...]

No mundo da pós-verdade, em outras palavras, não é suficiente defender uma tese intelectual. Em muitos contextos (talvez na maioria), os fatos precisam ser comunicados de modo a reconhecer os imperativos emocionais e também os racionais. Para a conversa dos médicos com os pacientes, por exemplo, um modelo assim é a "Entrevista Motivacional", método clínico desenvolvido para o tratamento de dependências de drogas e álcool que vai além da simples transferência de informações para investigar as causas, as ansiedades e as ambivalências do paciente, estimulando a mudança comportamental. Em uma época em que a maioria dos médicos de família britânicos dedica uma média de sete a oito minutos por paciente, essa é uma proposta ambiciosa.[17] Contudo, algo assim será necessário para lidar de forma definitiva contra os ataques violentos da propaganda do lobby antivacina, por exemplo.

Também é importante entender a multiplicidade dos métodos disponíveis para aqueles que propagam mentiras. Na China, os comentaristas patrocinados pelo Estado — milhões deles — produzem cerca de 448 milhões de posts nas mídias sociais por ano. Contudo, como um estudo revelou:

> [...] a estratégia do regime chinês é evitar discutir com os descrentes do partido e do governo, e nem mesmo discutir

assuntos polêmicos. Deduzimos que o objetivo dessa grande operação secreta é distrair regularmente o público e mudar de assunto, já que a maioria desses posts envolve a torcida pela China, a história revolucionária do Partido Comunista ou outros símbolos do regime.[18]

Se a distração pode ser a inimiga da verdade, conclui-se que seus defensores devem se engajar na batalha pela atenção. Não é suficiente divulgar um comunicado à imprensa, aparecer em um canal de notícias ou twittar uma reprimenda. Os *meios* da reprimenda devem corresponder à cultura vigente. Um podcast viral, uma manifestação de protesto ou uma petição on-line podem fazer mais para banir uma mentira do que uma asserção objetiva do fato. É uma bola de neve, claro: uma batalha interminável entre distração e contradistração não contribuiria em nada para o discurso democrático. A verdade nunca deve ser comprometida pela teatralidade. No entanto, é ingênuo pensar que a batalha contra a pós-verdade será ganha recorrendo unicamente a técnicas de verificação rotineiras.

SUPERE A NARRATIVA

O progresso é sequencial: isso quer dizer que aqueles que torcem pela mudança, ou combatem uma tendência social perniciosa, devem se adaptar com disciplina rígida às circunstâncias em que se encontram. Isso é menos óbvio do que parece. Há um instinto poderoso para restabelecer aquilo que é perdido ou foi posto em risco, para reafirmar o *status quo* anterior. Porém, como eu disse no início deste capítulo, aqueles que querem defender os valores do Iluminismo nesse contexto em transformação — mobilidade frenética, revolução tecnológica, agitação emocional — devem atuar dentro de seus parâmetros. Tudo mais é ilusão.

113

PÓS-VERDADE

Em seu livro, *The Myth Gap*, Alex Evans sustenta que "precisamos de novos mitos que falem quem somos e do mundo que habitamos"[19]. Naturalmente, tornou-se corriqueiro empregar a palavra "mito" como sinônimo de "mentira rotineira". Mas não é isso que Evan está defendendo. Abordando o caso especifico da ciência da mudança climática, ele afirma que a linguagem tecnocrática, as estatísticas, os acrônimos e os documentos opacos de estratégia podem tanto impedir como fazer avançar o reconhecimento público da realidade. Para aqueles que procuram apoio cheio de vida, "uma história realmente ressonante é a centelha que acende a chama do movimento"[20]. Em outras palavras: a batalha entre sentimento e racionalidade é, de certa forma, uma dicotomia falsa. Mais do que nunca, a verdade requer um sistema de entrega emocional, que fala à experiência, à memória e à esperança.

De fato, a própria ideia de que a verdade precisa ser defendida tem uma dimensão mítica. Desde o roubo do fogo por Prometeu, passando por Odin que sacrifica seu olho em troca de sabedoria, até o gênero muito mais recente do romance policial, a busca determinada do conhecimento — muitas vezes por um preço — foi um dos grandes arquétipos da história humana. Não é absurdo imaginar um apelo moderno e mítico ao anseio coletivo da humanidade por certeza e honestidade — não na linguagem grosseira e conspiratória dos assim chamados "Truthers" (paladinos da verdade), mas em uma rebelião aberta e colaborativa contra a doença cognitiva de nosso tempo.

A própria palavra "narrativa" foi contaminada pelo uso exagerado no mundo político como alternativa caprichosa à "estratégia" ou "plano". No entanto, isso não nos deve impedir de investigar seu significado básico e sua relevância fundamental para a era da pós-verdade. A narrativa — definida como relato oral ou escrito de elementos conectados — é essencial para a luta preconizada neste livro.

Os que contam a verdade devem falar para os corações e também para as mentes. Com isso, não quero dizer que as matérias jornalísticas devam ser escritas no idioma da ficção, ou que analistas financeiros

"O FEDOR DAS MENTIRAS": ESTRATÉGIAS PARA DERROTAR A PÓS-VERDADE

tenham agora de se expressar em versos alexandrinos. Não é um apelo em favor da pieguice emocional, da efusão sentimentalista ou de notícias do tipo New Age. A verdade deve ter sempre uma borda serrilhada.

O que quero dizer — e expresso, espero, ao longo destas páginas — é que a verdade será abafada a menos que seja ressonante. Considerando um exemplo atual: registrar as mentiras contadas por Trump é muito importante, mas não é suficiente. Seu sucesso foi construído com base em uma história tão poderosa quanto simples: que ele podia "Tornar a América Novamente Grande". Trump não recorreu a dados verificáveis, mas a ressentimentos e medos; aquilo que os gurus de negócios chamam de "marketing de inadequação"[21].

Para defender a verdade contra o presidente e aqueles que seguirão sua liderança, contranarrativas poderosas são requeridas; histórias que, nas palavras do empreendedor de *branding* Jonah Sachs, convocam "seus ouvintes ao crescimento e à maturidade", e não à irracionalidade e ao medo contraído de conspirações.[22] Essa abordagem — também conhecida como "marketing de empoderamento" — troca a ênfase de Freud nas patologias e nas neuroses pelas teorias psicológicas de Abraham Maslow (1908-70), ex-presidente da American Psychological Association e cofundador do *Journal of Humanistic Psychology*.

Maslow é mais conhecido por sua "hierarquia de necessidades"; uma estrutura piramidal que identificou necessidades humanas além da sobrevivência básica e da noção de carência. Os seres humanos, ele afirmou, anseiam por mais do que uma existência suportável. Eles se desenvolvem, com graus distintos de sucesso, rumo à satisfação de necessidades mais profundas: totalidade, perfeição, justiça, riqueza, simplicidade, beleza, verdade, singularidade e jovialidade.

A relevância dessa análise é sua insistência corajosa, mas necessária, de tratar aqueles com quem interagimos — eleitores, leitores, visualizadores, usuários de mídia social — como adultos. Apela não só ao interesse próprio e à conveniência, mas também à agência humana e à maturidade. É um caminho muito mais difícil do que a promessa populista de sucesso instantâneo, inimigos imaginários esmagados e verdades inconvenientes ignoradas — mas é melhor ainda por isso.

Aqui estão três exemplos do que essas contranarrativas podem parecer. Em primeiro lugar, há o discurso proferido por Harvey Milk — um dos primeiros gays assumidos eleito para um cargo público nos Estados Unidos — em San Diego, em 10 de março de 1978:

> A única coisa que eles podem ter é esperança. E você tem de dar esperança a eles. Esperança de um mundo melhor, esperança de um amanhã melhor, esperança de um lugar melhor para ir se as pressões em casa são muito fortes. Esperança de que tudo dê certo. Sem esperança, não só gays, mas também os negros, os velhos, os deficientes, o *nós*, o *nós* vai desistir. E se você ajudar a eleger mais gays para o comitê central e para outros cargos, isso dará um sinal verde para todos que se sentem privados de direitos, um sinal verde para avançar. Significa esperança para uma nação que entregou os pontos, porque se um gay tiver sucesso, as portas estarão abertas para todos.[23]

A destreza da retórica de Milk estava radicada nesse "o *nós*". O que ele pretendeu expressar foi que a moderna sociedade pluralista era composta de múltiplas comunidades, que podiam coexistir, movidas pela esperança de uma vida melhor em harmonia negociada. Ou não. A narrativa de Milk era orientada não apenas pela noção de direito adquirido, mas pela rejeição do desespero e por um apelo à ação.

Em segundo lugar, em seu notável ensaio "The Power of the Powerless" [O poder dos sem poder] (1978), Václav Havel, que posteriormente tornou-se presidente da República Checa, sintetizou a mensagem de resiliência numa única metáfora. De acordo com Havel: "Há vezes em que devemos mergulhar até o fundo de nossa miséria para

"O FEDOR DAS MENTIRAS": ESTRATÉGIAS PARA DERROTAR A PÓS-VERDADE

entender a verdade, da mesma forma que devemos descer até o fundo de um poço para enxergar as estrelas em plena luz do dia."[24] Num contexto distinto, ele lindamente transformou em mito a capacidade do homem de combater a mentira: "Quanto mais profunda a experiência de ausência de significado — em outras palavras, do absurdo —, de forma mais vigorosa o significado é buscado."[25]

Em terceiro lugar, e mais recentemente, a cerimônia de abertura dos Jogos Olímpicos de Londres, em 2012, criada por Danny Boyle, deu força narrativa às complexidades sociais do britanismo, à mistura excêntrica de tradição e modernidade, aos valores básicos e à diversidade histórica do país. O espetáculo celebrou o National Health Service e o Beveridge Report de 1942 pelo bem-estar social e imigração, mas também saudou os feitos ancestrais das Forças Armadas, tratando com carinho os hinos religiosos e a União de Inglaterra, Escócia, País de Gales e Irlanda do Norte. O tema diretivo do espetáculo foi o espírito indômito de invenção e inovação: a noção da Grã-Bretanha como país revolucionário — e sua revolução não era política, mas científica, intelectual e criativa.[26]

Um ano antes da cerimônia, protestos irromperam nas cidades da Inglaterra. Quatro anos depois dessa celebração de confiante pluralismo, os britânicos votaram, como se ao contrário, em favor do Brexit. O que Boyle alcançou dificilmente foi a última palavra sobre a qual seu país se sustentava e se sustenta. Mas — como a retórica de Milk e Havel — mostrou o que pode ser feito para expressar a realidade sob a forma de histórias e com brilho e desenvoltura.

Para aqueles que querem reconquistar os eleitores que foram induzidos a apoiar Trump ou o Brexit por uma sensação de privação de direitos, a missão é clara e hercúlea. Eles devem encontrar uma alternativa à "história profunda" de desilusão e desencanto descrita no Capítulo 1, reconhecendo as angústias daqueles que se sentem deixados para trás e sem o apaziguamento das intolerâncias alimentadas por essa inquietação.

Essa contranarrativa deve ser construída sem grande sutileza. Precisa levar em conta a alienação gerada pelo ritmo da mudança global, sem iludir o público que esse ritmo tenderá a arrefecer.

A mobilidade populacional, por exemplo, não vai diminuir de forma acentuada, apesar de as declarações populistas afirmarem o contrário. Agora, o que é necessário é um discurso radicado na confiança generosa, e não no medo tribal, um que enfatiza os benefícios da imigração bem administrada e que reconhece que a admissão em um país acarreta responsabilidades para integração dos imigrantes, e também o direito deles de serem tratados como cidadãos plenos.

No Reino Unido, em novembro de 2016, sir Oliver Letwin observou corretamente que os principais partidos políticos "cometeram um erro terrível" ao não conseguirem demonstrar, com comprometimento e determinação, que "a imigração adequadamente controlada enriquece o país em todos os sentidos".[27]

Esse erro não é impossível de ser corrigido. Embora a admissão de refugiados sírios por iniciativa de Angela Merkel tenha se revelado polêmica, a Alemanha mostrou maior sofisticação do que os outros países europeus em sua abordagem relativa à imigração, enfatizando não só seus benefícios econômicos, mas também seu valor social, confrontando diretamente a noção de que *kein Einwanderungsland* ("não é um país de imigração").[28]

Em março de 2017, a derrota de Geert Wilders, candidato da extrema direita na eleição holandesa, revela que o avanço mundial do populismo da pós-verdade não é predeterminado. Mas aqueles que lutam contra isso devem exibir humildade e honestidade: humildade para escutar e honestidade para tratar os eleitores como cidadãos maduros.

A desigualdade, a falta de moradias, as escolas de má qualidade e as crises na saúde pública representam motivos para ressentimentos legítimos, mas não serão enfrentados com fronteiras fechadas ou mesmo reduções parciais de imigração. Slogans como "Reassumir o

Controle" e "Tornar a América Novamente Grande" podem ter conquistado votos, mas também são afrontosamente ocos.

A missão para aqueles que não compartilham a política de Trump ou dos defensores do Brexit é falar com empatia e sinceridade, empacotar fatos em histórias que falam às preocupações das pessoas comuns. A narrativa nunca deve violar ou embelezar a verdade; deve ser seu veículo mais poderoso.

TÃO VERDADEIRO E ENGRAÇADO COMO PARECE

Ridicularizar é outra força que desmascara as mentiras, mas faz isso com impacto emocional, e não como um aríete intelectual. Em seu livro sobre o julgamento da ação judicial de David Irving, Deborah Lipstadt recorda a tese de seu advogado, Anthony Julius: "Derrotar nosso inimigo e enterrá-lo é uma coisa. Vesti-lo com roupa de palhaço e fazê-lo atuar para você é outra, muito mais demolidora. Ele sobrevive para dar testemunho de sua própria impotência." Isso, Lipstadt reflete, era a importância de sua batalha: "Repetidamente durante o julgamento, David Irving era deixado exposto, não só como falsificador da história, mas como figura irracional e tola." Da mesma maneira, ela afirma, *O grande ditador*, de Charlie Chaplin, e *Primavera para Hitler*, de Mel Brooks, reduzem Hitler a uma figura do absurdo, depreciando-o e também o estigmatizando com perversidade.[29]

Como mencionado no capítulo anterior, os melhores satiristas podem atuar, e atuam, como picadores de touros em touradas da luta contra a pós-verdade. Em 2009, quando Bill Posey, congressista da Flórida, apresentou um projeto de lei na Câmara dos Representantes exigindo que os candidatos presidenciais fornecessem suas certidões de nascimento — uma tentativa de consagrar a controvérsia dos *"birthers"* na legislação norte-americana —, o comediante Stephen Colbert,

POS-VERDADE

do canal Comedy Central, desafiou-o a apresentar o exame de DNA: "[Para] dar fim aos persistentes rumores de que o deputado da Flórida é metade crocodilo. Já não aguento mais ouvir esse boato inconsequente."[30] Posey se sentiu humilhado: "Esperava que houvesse algum debate polido a esse respeito, mas não foi polido. Apenas insultos e difamação pessoal [...] Não há motivo para dizer que sou neto bastardo de um crocodilo." Talvez não, mas a experiência o forçou a declarar que ele não tinha "nenhum motivo para questionar" o lugar de nascimento de Obama.[31] O projeto de lei de Posey — H.R. 1503 — morreu quando o Congresso o suspendeu em 2010.

De fato, Colbert já tinha conferido àquilo que, posteriormente, se tornaria conhecido como pós-verdade sua própria definição: "*truthiness*" [verdade sem pé nem cabeça, em tradução livre]. Como ele explicou em uma entrevista em 2006:

> A *truthiness* está acabando com nosso país, e não pretendo discutir quem propôs o termo. Não sei se é uma coisa nova, mas, com certeza, é uma coisa atual, em que os fatos não parecem importar. Costumavam importar, todos tinham direito a sua própria opinião, mas não a seus próprios fatos. Mas não é mais o caso. Os fatos não importam mais de jeito nenhum. A percepção é tudo. É certeza. O povo ama o presidente [George W. Bush] porque ele tem certeza de suas escolhas como líder, mesmo que os fatos que o respaldam pareçam não existir. É o fato de que ele tem certeza de que é muito atrativo para determinada parte do país. Para ser sincero, sinto uma dicotomia no povo americano. O que é importante? O que você quer que seja verdade, ou o que é verdade?[32]

Como já mencionei, o presidente Trump respondeu à pergunta retórica de Colbert substituindo os padrões da vida pública pelos critérios de sucesso do *show business*. Mas isso, é claro, deixa Trump mais sensível às farpas dos satiristas, que ele considera — de forma subconsciente ou não — como colegas humoristas. Sua fixação com o programa *Saturday Night Live* (e a imitação dele feita por Alec Baldwin) foi especialmente reveladora.

Em 4 de dezembro de 2016, no meio de seu vacilante processo de transição, o presidente eleito twittou: "Tentei assistir a *Saturday Night Live*. Inassistível! Totalmente tendencioso, sem graça, e a imitação de Baldwin não podia ser pior. Triste." Apenas cinco dias antes de sua pose, ele teve tempo de renovar o ataque: "@NBCNews é ruim, mas *Saturday Night Live* é o pior da NBC. Sem graça, o elenco é horrível, sempre uma porcaria completa. De fato, um programa de quinta!" Até certo ponto, Trump tem razão de estar irritado: as forças que o criaram podem destruí-lo. Um político tão dependente de ressonância emocional não pode se permitir virar uma figura de zombaria. Sem dúvida, os satiristas estão fazendo seu trabalho. E nós?

A VERDADE, SE FORMOS CAPAZES DE MANTÊ-LA

No filme *Apocalypse Now*, o coronel Kurtz (Marlon Brando) pede para o capitão Willard (Martin Sheen) que diga a seu filho tudo o que ele viu em seu alojamento para prisioneiros de guerra no Camboja: "Tudo o que fiz, tudo o que você viu, porque não há nada que eu deteste mais do que o fedor das mentiras. E se você me entende, Willard, fará isso por mim."

Personagem ambíguo como Kurtz certamente é, ele nos recorda que as mentiras contaminam tudo o que tocam, incluindo, em seu caso, a sanidade mental básica. O maior perigo da era da pós-verdade é que nosso sentido do olfato falhou. Nós nos tornamos indiferentes, ou nos acostumamos, ao "fedor das mentiras", resignados à atmosfera malcheirosa de afirmações de verdade conflitantes. Em outras palavras: as chamas do colapso democrático ainda não estão consumindo a nossa sociedade. No entanto, nosso detector de fumaça coletivo está com defeito.

É possível que ele venha a ser reativado pelas experiências que nos aguardam. Como vimos, Umberto Eco afirmou que o realismo sempre se reafirmaria ao depararmos-nos com "linhas de resistência". Não podemos atravessar paredes, sobreviver debaixo d'água sem oxigênio ou passar por um beco sem saída. A política e a cultura possuem seus equivalentes. Os votos para o Brexit e Trump foram alimentados por sentimentos reacionários, mas também — de forma decisiva — por uma insistência na *mudança*.

O que quer que aconteça nessa presidência específica e nessa reorganização específica do relacionamento britânico com o resto da Europa, o provável é que as expectativas criadas em ambos os lados do Atlântico não possam ser satisfeitas. Quando a promessa de transformação fracassa e o público se depara com suas próprias "linhas de resistência" — um momento de perigo social máximo —, será um dever cívico de grande urgência reafirmar o valor da verdade no debate político.

O que não pode se assumir é que isso acontecerá por vontade própria, como resposta orgânica ao desencantamento. De fato, a decepção política é subserviente à pós-verdade, um dissolvente da confiança e um sinal para um amontoamento tribal adicional. A tarefa não pode esperar. É muito premente para ser adiada *sine die*. Se a verdade deve recuperar sua posição de prioridade em nossa cultura, devemos colocá-la ali.

No centro desse desafio está a noção de cidadania. Em dois aspectos específicos, o século xx erodiu o antigo conceito de direitos e responsabilidades conjugados. Apesar de reivindicações revisionistas persistentes em contrário, a expansão drástica do Estado após a Segunda Guerra Mundial foi necessária como força civilizadora, para permitir a difusão da provisão de educação, assistência média e bem-estar. De fato, os conservadores do século xxi estão redescobrindo os méritos do governo — ao menos em princípio — após décadas de

"O FEDOR DAS MENTIRAS": ESTRATÉGIAS PARA DERROTAR A PÓS-VERDADE

promessas de "restabelecer suas fronteiras"[33]. Contudo, não há como negar o outro lado do crescimento do Estado nos últimos setenta anos: a parcial infantilização do público que ele serve. Por mais que o eleitorado moderno despreze os políticos, ainda se volta automaticamente para eles em busca de soluções para tudo. Nossa resposta instintiva para um problema é dizer: "Eles têm de fazer algo a esse respeito." Mas quem são "eles"? "Eles" costumava ser "nós".

Essa delegação da responsabilidade cívica à própria classe política, que afirmamos deplorar, foi agravada por uma tendência bastante singular, mais associada a governos de centro-direita, embora não restrita a eles. A reformulação dos serviços públicos como produtos de varejo, e dos pacientes, pais e passageiros como clientes, não só tornou indistinto o limite entre o Estado e o setor privado como também tornou a cidadania cada vez mais indistinguível do consumismo. O que se denomina eufemisticamente de "jornadas de trabalho flexível", os contratos de zero hora [contrato de trabalho intermitente] e a ascensão da *gig economy** tenderam despir o trabalho de sua centralidade para a experiência humana. As convenções da carreira vitalícia desaparecem há muito tempo. Atualmente, a automação e a terceirização ameaçam o próprio futuro do trabalho. Ou assim parece.

O que permanece é o *consumo*: o que não é uma coisa ruim em si, até que começa a nos definir. Quando as coisas que você pode comprar on-line importam mais para você do que aquilo que pode fazer em seu bairro; quando você se comunica com os "amigos" da mídia social que nunca encontrou pessoalmente mais do que vê seus amigos reais; quando a noção de "espaço público" está confinada à tela em sua mão: tudo isso retira o poder da cidadania. E estimula a passividade, que é muito importante para a pós-verdade.

---

* É o mercado de trabalho que inclui trabalhadores temporários e sem vínculos empregatícios e empresas que contratam esses trabalhadores para serviços pontuais. Também conhecida como "freelance economy", (N.T.)

A habilidade política pode fazer a diferença, e fez a diferença. As conversas ao pé da lareira de Franklin Roosevelt eram um apelo ao espírito cívico, radicadas na insistência sobre a soberania da verdade. Como ele disse em 27 de maio de 1941: "Os problemas urgentes que nos encaram são problemas militares e navais. Não podemos nos permitir enfrentá-los do ponto de vista de pessoas sentimentalistas ou com pensamentos ilusórios. O que enfrentamos são fatos frios, duros."[34]

A política consistente pode desempenhar um papel na resistência à pós-verdade. É animador, por exemplo, que o Comitê Legislativo de Cultura, Mídia e Esportes da Câmara dos Comuns, sob a presidência do parlamentar Damian Collins, tenha sido ágil para lançar uma investigação a respeito da notícia falsa e de sua "ameaça à democracia"[35].

A escola de economia comportamental também mostrou que o governo pode afastar os cidadãos da desinformação e aproximá-lo das decisões baseadas em fatos — acerca de saúde, finanças pessoais, meio ambiente e nutrição — mediante o encorajamento, e não por meio do instrumento áspero da legislação e regulação.[36] Foi discutido, de modo mais provocativo, que há casos em que o governo tem o dever de ignorar as objeções da minoria desinformada — um dever muitas vezes mencionado no caso de aplicação obrigatória de flúor— e tomar a iniciativa, "exigindo proteção contra os perigos da atividade desinformada"[37]. No entanto, até os defensores mais ardorosos da democracia jeffersoniana admitem que não existe resposta loquazmente paternalista à pós-verdade.[38]

De fato, como poderia haver? A liderança pode ser uma condição necessária de mudança. Mas — sobretudo em uma era de desconfiança — não é mais suficiente (se foi alguma vez, ao menos em sociedades democráticas). Como Martin Luther King escreveu em "Carta de uma prisão em Birmingham" (1963), a indiferença é o maior desafio para aqueles que falam a verdade:

"O FEDOR DAS MENTIRAS": ESTRATÉGIAS PARA DERROTAR A PÓS-VERDADE

A maior pedra no caminho dos negros em seu trajeto rumo à liberdade não é o Conselho dos Cidadãos Brancos ou um membro da Ku Klux Klan, mas é o branco moderado, que é mais devotado à "ordem" do que à justiça; que prefere uma paz negativa, que é a ausência de tensão, a uma paz positiva, que é a presença de justiça; que constantemente diz: "Concordo com você quanto ao objetivo a que você aspira, mas não posso concordar com seus métodos de ação direta." [...] A compreensão superficial das pessoas de boa vontade é mais frustrante do que a incompreensão absoluta das pessoas de má vontade. A aceitação morna é muito mais desconcertante do que a rejeição total.[39]

Em poucas sentenças majestosas, King captou a principal barreira psicológica que confronta qualquer agente de mudança. A história da humanidade é a história da batalha entre a indiferença e o compromisso, *no interior* das pessoas e também entre elas. Para muita gente, a conformidade é a posição padrão. O parapeito está ali por um motivo: para você não colocar sua cabeça acima dele. A inércia é a opção segura. Até não ser mais. Ou seja, frequentemente nos arrependemos de nossa passividade anterior só quando é tarde demais.

Disso podemos ter certeza: a renovação da cidadania não será imposta de cima para baixo. Se o povo quiser o fim da era da pós-verdade, deve querer por si mesmo. Se ao deparar-se com suas consequências desagradáveis (as "linhas de resistência" de Eco) quiser uma mudança, deve exigi-la. A frase "poder do povo" degradou-se pelo uso exagerado, mas não é sem significado. No romance *O peregrino secreto*, de John le Carré, o veterano chefe do serviço secreto George Smiley explica os fatos em questão para uma plateia de jovens:

Foi o homem que acabou com a Guerra Fria, caso vocês não tenham notado. Não foram as armas, a tecnologia, os exércitos, as campanhas. Foi apenas o homem. Nem mesmo o homem ocidental, como quis o destino, mas nosso inimigo jurado do Leste, que saiu às ruas, deparou-se com as balas e os cassetetes e disse: já chega. [...] E as ideologias se arrastaram atrás desses acontecimentos impossíveis como prisioneiros condenados, como as ideologias arrastam seus condenados quando têm suas épocas.[40]

Não há romantismo nisso. A revolução de 1989 foi o fim de um pesadelo de setenta e dois anos, um longo período de sofrimento cataclísmico, opressão e resistência subjugada. O *apartheid* cobrou um preço assombroso antes de sua queda. E nem todos os movimentos populares acabam bem ou de forma coerente: basta pensar na Primavera de Praga de 1968 e em sua equivalente árabe de 2011.

No entanto, a afirmação de Smiley se sustenta. Os únicos motores confiáveis de mudança são os próprios cidadãos. O Partido Republicano norte-americano não teria se transformado como se transformou sem o poder organizacional do Tea Party*. O Partido Trabalhista do Reino Unido não teria se movido para a esquerda sem a energia fundamental do grupo Momentum. O impacto do movimento Occupy e da Jubilee Debt Campaign** também é instrutivo.

Independentemente do que você pense a respeito desses movimentos específicos, concentre-se na forma, e não no conteúdo. Não é difícil imaginar uma aliança similar e pouco coesa surgindo em resposta à pós-verdade e ao dano que isso já está causando em nosso tecido social: #TellUsTheTruth. O toque de clarim "Não se lamente: organize-se!" é, em geral, associado à esquerda. Contudo, sua aplicação não precisa ficar limitada a alguma ideologia específica.

---

* Tea Party — Movimento político e social dos EUA composto da ala mais radical do partido republicano.
** Coalizão de organizações nacionais e grupos locais do Reino Unido que exige que as dívidas injustas e impagáveis dos países mais pobres sejam canceladas. (N.T.)

"O FEDOR DAS MENTIRAS": ESTRATÉGIAS PARA DERROTAR A PÓS-VERDADE

No mínimo, devemos confirmar a verdade de modo comandante, em vez de meramente repetir a mentira, negando-a. A racionalidade deve estar casada com a imaginação e a inovação. Se a pós-verdade precisa ser desafiada e derrotada, o esforço deve ser coletivo, prolongado e persistente. Haverá reveses, reviravoltas e momentos de exasperação. No entanto, se a verdade ainda importa para nós como civilização, não é uma missão da qual podemos nos esquivar.

Como mencionado no Prefácio, é um erro supor que a apatia seja inevitável. Os maiores oradores sempre entenderam que o povo respeita aqueles que têm a honestidade de admitir a dificuldade de uma missão e prometem "sangue, trabalho, lágrimas e suor". O que torna o Discurso de Gettysburg tão extraordinário — além de sua brevidade — é o deslizar retórico contínuo de Lincoln desde a humildade em face da queda até o descomunal desafio nacional: "A importante tarefa que temos pela frente — que esses mortos veneráveis nos inspirem maior devoção à causa pela qual deram a última medida plena de devoção — é que todos nós aqui solenemente admitamos que esses homens não morreram em vão; que esta nação renasça na liberdade e que o governo do povo, pelo povo e para o povo jamais desapareça da face da Terra."

Da mesma forma, consideremos o talento de Churchill — muito antes de ele se tornar um líder da guerra — na exortação à ação, com base no reconhecimento de que a ação raramente é tarefa fácil. Em *Minha mocidade*, ele afirma isso para os jovens:

> Vocês não têm um minuto a perder. Devem assumir seus lugares na linha de combate da vida. [...] Não se satisfaçam com as coisas do jeito que são. "Sua é a terra e sua plenitude." Tomem posse de sua herança, aceitem suas responsabilidades. [...] Vocês cometerão todos os tipos de erros; mas desde que sejam generosos e verdadeiros, e também ardentes, vocês não prejudicarão o mundo, nem mesmo o afligirão seriamente.[41]

Generosos, verdadeiros e ardentes: um modelo a que vale a pena aspirar. De novo, Martin Luther King oferece um texto pertinente, na prédica proferida na sinagoga Temple Israel of Hollywood, em 1965. Nesse caso, simultaneamente, ele identifica a adversidade e o caso moral de confrontá-la:

> O arco do universo moral é longo, mas se inclina na direção da justiça. Vamos triunfar, porque Carlyle tem razão: "Nenhuma mentira é eterna." Vamos triunfar porque William Cullen Bryant tem razão: "A verdade, esmagada contra a terra, voltará a se erguer." Vamos triunfar porque James Russell Lowell tem razão: "No cadafalso, sempre a verdade; no trono, sempre a injustiça. Porém, o cadafalso ilumina o nosso futuro e vela Deus por seus Filhos por trás das trevas infindas."[42]

Tente imaginar um político contemporâneo defendendo a verdade com essa linguagem ou com essa paixão; ou um presidente dos Estados Unidos declarando: "Não pergunte o que seu país pode fazer por você. Pergunte o que você pode fazer por seu país."[43] Na longa decadência do discurso público, que, finalmente, conduziu à era da pós-verdade, a classe política e o eleitorado conspiraram em favor da degradação e debilitação do que dizem um ao outro. Promessas irrealizáveis são compatibilizadas com expectativas absurdas; os objetivos inalcançados são ocultados pelo eufemismo e pela evasão; o hiato entre retórica e realidade gera desencantamento e desconfiança. E, em seguida, o ciclo recomeça. Quem ousa ser honesto? E quem ousa dar importância à honestidade?

Esse não é um apelo ao sentimentalismo, mas justamente o contrário. É uma convocação às armas, um lembrete de que a verdade é descoberta e não divulgada, que é um ideal a ser perseguido, e não um direito a ser esperado indolentemente. Nossas demandas como cidadãos para que a verdade seja dita devem ser moderadas pela razão, mas não amansadas pela complacência. Nossa insistência deve ser implacável.

Em seus comentários esclarecedores a respeito do significado de seu livro *1984* — uma afirmação feita não muito antes de sua morte, que equivaleu a uma mensagem de despedida —, Orwell lançou uma advertência categórica: "A moral a ser tirada dessa perigosa situação de pesadelo é simples: Não deixe acontecer. Depende de você."

Não havia nenhum idealismo nessas últimas palavras, apenas o realismo duramente conquistado de um escritor que dedicou sua vida à verdade e entendeu que, no final das contas, é apenas o cidadão alerta que monta guarda por uma sociedade livre e seus valores fundamentais. Nessa luta, não há cavalaria que valha a pena esperar. E isso, ao menos, sempre foi assim. Após o término da Convenção Constitucional, na Filadélfia, em 1787, Benjamin Franklin foi abordado por uma mulher que perguntou que tipo de governo fora escolhido. "Uma república, senhora. Se formos capazes de mantê-la."[44]

O que Franklin quis dizer foi que um sistema livre de forças distorcivas, que levam inexoravelmente à tirania de um tipo ou outro, só é tão forte quanto aqueles que o protegem. Atualmente, essas forças são muito mais complexas, variadas e traiçoeiras do que até o inventor e cientista Franklin poderia ter imaginado. Porém, seu vigoroso desafio permanece correto, falando através dos séculos, desde a época dos Pais Fundadores até o terreno precário e cacofônico de nossos tempos. É um desafio que vale a pena enfrentar. A coragem, a persistência e o espírito colaborativo serão recompensados: a verdade se revelará.

NOTAS

....

PREFÁCIO | **QUASE MORTE, PÓS-VERDADE**

1. Objetivo alcançado. Ver: <http://www.standard.co.uk/comment/comment/matthew-dancona-donald-trump-s-victory-will-be-as-great-a-test-for-theresa--may-as-brexit-a3391521.html>.
2. Sonia Orwell e Ian Angus (eds), *The Collected Essays of George Orwell*, Vol. II: *My Country Right or Left 1940—43* (brochura, 1980), p. 295-6.

....

CAPÍTULO 1 |"**QUEM SE IMPORTA?": A CHEGADA DA ERA DA PÓS-VERDADE**

1. No momento da escrita deste livro: <http://www.politifact.com/personalities/donald-trump/>.
2. <http://www.bbc.co.uk/news/uk-37995600>.
3. <http://grist.org/article/2010-03-30-post-truth-politics/>.
4. <https://www.washingtonpost.com/politics/2016/live-updates/general-election/real-time-fact-checking-and-analysis-of-the-first-presidential-debate/fact-check-has-trump-declared-bankruptcy-four-or-six-times/?utm_term=.7896ea11aa1b>.
5. <http://www.ngca.co.uk/docs/Barthes_WorldOfWrestling.pdf>.
6. <http://uk.businessinsider.com/sean-spicer-berates-media-over-inauguration-crowd-size-coverage-2017-1?r=US&IR=T>.

7. <http://www.independent.co.uk/news/world/americas/kellyanne-conway-sean-spicer-alternative-facts-lies-press-briefing-donald-trump-administration-a7540441.html>.

8. A respeito do relacionamento de Trump com Cohn, ver Michael Kranish e Marc Fisher, *Trump Revealed: An American Journey of Ambition, Ego, Money and Power* (2016).

9. <http://www.politico.com/magazine/story/2017/01/donald-trump-lies-liar-effect-brain-214658>.

10. Sobre a importância de histórias para disputas de todos os tipos, ver Jonah Sachs, *Winning the Story Wars: Why Those Who Tell — and Live — the Best Stories Will Rule the Future* (2012).

11. <http://www.nbcnews.com/politics/donald-trump/trump-s-electoral-college-win-was-not-biggest-reagan-n722016>.

12. <https://www.theatlantic.com/international/archive/2016/11/brexit-plus-plus-plus/507107/>.

13. <https://www.theguardian.com/politics/2016/jun/29/leave-donor-plans-new-party-to-replace-ukip-without-farage>.

14. <http://www.strongerin.co.uk >.

15. Essa e outras citações de Cummings: <https://dominiccummings.wordpress.com/2017/01/09/on-the-referendum-21-branching-histories-of-the-2016-refe-rendum-and-the-frogs-before-the-storm-2/>.

16. <http://www.huffingtonpost.co.uk/entry/evan-davis-newsnight-bbc-daniel--hannan-mep-eu-referendum-brexit_uk_576e2967e4b08d2c56393241>.

17. <http://www.huffingtonpost.co.uk/entry/daniel-hannan-mep-bbc-newsnight--evan-davis-vote-leave-immigration_uk_576e723de4b08d2c5639423a>.

18. <https://www.theguardian.com/politics/2016/jun/16/nigel-farage-defends-ukip-breaking-point-poster-queue-of-migrants>.

19. <http://www.telegraph.co.uk/news/2016/06/21/eu-referendum-final-opinion-poll-shows-remain-surge-as-claims-su/>.

20. <http://blogs.lse.ac.uk/politicsandpolicy/immigration-demons-and-academic-evidence/>.

21. <http://mediterraneanaffairs.com/april-16-referendum-turkey-europe/>.

22. <https://fullfact.org/europe/our-eu-membership-fee-55-million/>.

23. <http://www.independent.co.uk/news/business/news/eu-referendum-statis-tics-regulator-loses-patience-with-leave-campaign-over-350m-a-week-eu--cost-a7051756.html>.

NOTAS

24. <http://www.independent.co.uk/news/uk/politics/brexit-350-million-a-week--extra-for-the-nhs-only-an-aspiration-says-vote-leave-campaigner-chris-a7105246.html>.
25. <https://www.theguardian.com/politics/2016/jun/26/eu-referendum-brexit-vote-leave-iain-duncan-smith-nhs>.
26. <http://www.newstatesman.com/politics/uk/2016/06/how-brexit-campaign-lied-us-and-got-away-it>.
278. <http://www2.politicalbetting.com/index.php/archives/2017/01/30/polling-matters-opinium-survey-public-backs-brexit-as-the-right-decision-by-52-to-39-as-opposition-softens/>.
28. <http://www.reuters.com/article/us-britain-eu-poll-idUSKBN15L231?il=0>.
29. <http://www.usatoday.com/story/opinion/2017/02/17/trump-executive-orders-elite-popular-polls-muslim-ban-immigration-column/97920456/>.
30. Ralph Keyes, *The Post-Truth Era: Dishonesty and Deception in Contemporary Life* (2004), p. 25.
31. Ibid., p. 48.
32. <http://content.time.com/time/specials/packages/article/0,28804,1859513_1859526,00.html>.
33. <http://www.historyinink.com/0060502_Harry_S_Truman_TLS_10-5-1960.htm>.
34. <http://www.nytimes.com/1988/10/16/books/with-the-bark-off.html?pagewanted=all>.
35. Como citado em John Dean, *The Rehnquist Choice: The Untold Story of the Nixon Appointment That Redefined the Supreme Court* (2001).
36. Ibid., p. 126.
37. Ibid., p. 69, grifo do autor.
38. Há uma vasta literatura a respeito da desonestidade política, incluindo: Christopher Hitchens, *No One Left to Lie to: The Values of the Worst Family* (1999), Peter Oborne, *The Rise of Political Lying* (2005), e Robert Hutton, *Would They Lie to You? How to Spin Friends and Manipulate People* (2014).
39. <https://www.ft.com/content/0f70a060-c842-11dc-94a6-0000779fd2ac>.
40. <https://www.nytimes.com/2016/11/06/magazine/the-party-that-wants-to-make-poland-great-again.html>.
41. Peter Pomerantsev, *Nothing Is True and Everything Is Possible* (brochura, 2016), p. 271—2.
42. <https://www.theguardian.com/world/commentisfree/2016/dec/19/trump-putin-same-side-new-world-order>.
43. <http://www.independent.co.uk/news/people/donald-trump-president-michael-moore-warning-biggest-f-you-in-human-history-a7406311.html>.

44. Ver Arlie Russell Hochschild, *Strangers in Their Own Land: Anger and Mourning on the American Right* (2016), Capítulo 9.
45. Dois textos influentes típicos dessa escola de pensamento: Daniel Kahneman, *Rápido e devagar, duas formas de pensar*; e Richard H. Thaler e Cass R. Sunstein, *Nudge: Improving Decisions about Health, Wealth, and Happiness* (2008).
46. Ver Daniel Goleman, *Inteligência emocional: a teoria revolucionária que redefine o que é ser inteligente* (1996).
47. Drew Westen, *O cérebro político* (2008); e Daniel H. Pink, *A nova inteligência* (2006).
48. Keyes, op. cit., p. 115.
49. David Brooks, *Bubos no Paraíso: a nova classe alta e como chegou lá* (2002).
50. Keyes, op. cit., p. 187.
51. Ibid., p. 117.

CAPÍTULO 2 | "VOCÊ NÃO É CAPAZ DE LIDAR COM A VERDADE!": AS ORIGENS DA ERA DA PÓS-VERDADE

1. <http://www.huffingtonpost.co.uk/entry/michael-gove-experts-economists--andrew-marr-obr-ifs-nigel-farage_uk_583abe45e4b0207d19184080>.
2. Francis Fukuyama, *Confiança — as virtudes sociais e a criação da prosperidade* (1996). Ver também: Stephen M. R. Covey e Rebecca R. Merrill, *A velocidade da confiança — o elemento que faz toda a diferença* (2017); Anthony Seldon e Kunal Khatri, *Trust: How We Lost It and How to Get It Back* (2009); e Julia Hobsbawm (ed.), *Where the Truth Lies: Trust and Morality in the Business of PR, Journalism and Communications* (segunda edição revisada, 2010).
3. T. Goertzel. "Belief in conspiracy theories", *Political Psychology*, 15 (4) (1994), p. 731-42.
4. Para uma defesa extrema da globalização e muito mais, ver Matt Ridley, *The Evolution of Everything: How Ideas Emerge* (2015).
5. <https://www.ft.com/content/fa332f58-d9bf-11e6-944b-e7eb37a6aa8e>.
6. <http://www.bbc.co.uk/news/education-38557838>.
7. Ver Ari Rabin-Havt e Media Matters, *Lies Incorporated: The World of Post-Truth Politics* (2016); Naomi Oreskes e Erik M. Conway, *Merchants of Doubt: How a Handful of Scientists Obscured the Truth on Issues from Tobacco Smoke to Global Warming* (2010); e Michael Specter, *Denialism: How Irrational Thinking Prevents Scientific Progress, Harms the Planet and Threatens Our Lives* (2009).
8. Rabin-Havt, op. cit., p. 5-6.
9. Ibid., p. 43-4.

NOTAS

10. Como editor da *Spectator*, arrumei confusão em uma controvérsia a respeito da ciência da mudança climática. Ver <https://www.theguardian.com/commentis-free/cif-green/2009/sep/14/climate-change-denial/> e http://blogs.spectator.co.uk/2009/09/an-empty-chair-for-monbiot/>.

11. Rabin-Havt, op cit., p. 50-51.

12. Ver Rob Brotherton, *Suspicious Minds: Why We Believe Conspiracy Theories* (brochura, 2016), p. 233.

13. Sem dúvida, foi a conclusão a que cheguei, em 2007, quando fiz dois programas para a BBC Radio 4 sobre o potencial da nova tecnologia. Para um resumo, ver este artigo da *Spectator*: <http://www.spectator.co.uk/2007/11/the-mighty-should-quake-before-the-wiki-man/>. Para uma investigação mais detalhada desse potencial, ver Charles Leadbeater, *We-Think: The Power of Mass Creativity* (2008).

14. <http://webfoundation.org/2017/03/web-turns-28-letter/>.

15. Bernard Williams, *Truth and Truthfulness: An Essay in Genealogy* (brochura, 2004), p. 216.

16. Ver Henry Farrell, "The consequences of the Internet for politics", *Annual Review of Political Science* (2012).

17. Ver Malcolm Nance, *The Plot to Hack America: How Putin's Cyberspies and WikiLeaks Tried to Steal the 2016 Election* (2016).

18 Ver Tim Wu, *The Attention Merchants: From the Daily Newspaper to Social Media, How our Time and Attention is Harvested and Sold* (2016).

19. Eric S. Raymond, *A catedral e o bazar* (1999).

20. <https://www.buzzfeed.com/craigsilverman/top-fake-news-of-2016?utm_term=.dvv3pRNPm4#.qvMbB39LyN>.

21. <https://www.buzzfeed.com/craigsilverman/fake-news-survey?utm_term=.poNY8E5Vwo#.fjQKeXzQ75>.

22. <https://www.washingtonpost.com/news/local/wp/2016/12/04/d-c-police-respond-to-report-of-a-man-with-a-gun-at-comet-ping-pong-restaurant/?utm_term=.e5677882ef82>.

23. <http://www.nytimes.com/2004/10/17/magazine/faith-certainty-and-the-presidency-of-george-w-bush.html>.

24. <https://www.theguardian.com/us-news/2017/jan/11/trump-attacks-cnn-buzzfeed-at-press-conference>.

25. <http://www.vox.com/policy-and-politics/2017/2/16/14640364/trump-press-conference-fake-news>.

26. Ed. Richard A. Posner, *The Essential Holmes: Selections from the Letters, Speeches, Judicial Opinions, and Other Writings of Oliver Wendell Holmes, Jr.* (1997), p. 320.

27. <http://www.economist.com/news/briefing/21706498-dishonesty-politics-nothing-new-manner-which-some-politicians-now-lie-and>.

....

CAPÍTULO 3 | CONSPIRAÇÃO E NEGAÇÃO: OS AMIGOS DA PÓS-VERDADE

1. <http://harpers.org/archive/1964/11/the-paranoid-style-in-american-politics/1/>.
2. 3. <https://www.splcenter.org/fighting-hate/extremist-files/individual/alex-jones>.
3. <http://publicmind.fdu.edu/2013/outthere/>.
4. <https://www.washingtonpost.com/news/monkey-cage/wp/2015/02/19/fifty-percent-of-americans-believe-in-some-conspiracy-theory-heres-why/?utm_term=.104bf83fa030>.
5. <http://prorev.com/center.htm>.
6. David Aaronovitch, *Voodoo Histories: The Role of Conspiracy Theory in Modern History* (2009).
7. Ver Rob Brotherton, *Suspicious Minds: Why We Believe Conspiracy Theories* (brochura, 2016), p. 242.
8. <https://www.dartmouth.edu/~nyhan/nyhan-reifler.pdf>.
9. Ver Sara E. Gorman e Jack M. Gorman, *Denying to the Grave: Why We Ignore the Facts That Will Save Us* (2016); Specter, op. cit.
10. Brotherton, op. cit., p. 239.
11. Ver Gorman e Gorman, op. cit.; Specter, op. cit.
12. Specter, op. cit., p. 63.
13. <https://www.nytimes.com/2017/02/23/opinion/the-anti-vaccine-movement-gains-a-friend-in-the-white-house.html>.
14. <https://www.nytimes.com/2016/04/02/nyregion/anti-vaccine-film-pulled-from-tribeca-film-festival-draws-crowd-at-showing.html>.
15. Para o desmascaramento total das declarações do "informante do CDC", ver: <http://scienceblogs.com/insolence/2016/03/22/wtf-andrew-wakefields-antivaccine-documentary-to-be-screened-at-the-tribeca-film-festival/>; <http://scienceblogs.com/insolence/2015/06/18/cranks-of-a-feather-the-nation-ofislam-teams-with-antivaccine-activists-to-oppose-sb-277/>; e <http://www.harpocratesspeaks.com/2014/09/mmr-cdc-and-brian-hooker-mediaguide.html>.
16. Specter, op. cit., p. 17-18.
17. Brotherton, op. cit., p. 36.
18. Brotherton, op. cit., p. 41.

NOTAS

19. Deborah Lipstadt, *Denying the Holocaust: The Growing Assault on Truth and Memory* (2016), p. 204.
20. Deborah Lipstadt, *Denial: Holocaust History on Trial* (2016), p. 269-70.
21. Ibid., p. 271-4.
22. <https://www.theatlantic.com/international/archive/2014/05/the-world-is-full-of-holocaust-deniers/370870/>.
23. <https://www.hks.harvard.edu/ocpa/pdf/HolocaustDenialPAE.pdf>.
24. <Martin Ford, *Robôs, a ameaça de um futuro sem emprego.*>.
25. Ver Yuval Noah Harari, *Homo Deus: uma breve história do amanhã* (2015).
26. <http://nypost.com/2017/02/05/inside-amazons-robot-run-supermarket-that-needs-just-3-human-workers/>.
27. Brotherton, op. cit., p. 121.
28. John Irving, *As regras da Casa de Sidra* (2013).

··

CAPÍTULO 4 | O COLAPSO DA PEDRA FILOSOFAL: PÓS-MODERNISMO, IRONIA E A ERA DA PÓS-VERDADE

1. Para uma expressão inicial e influente dessa ideia, ver Christopher Lasch, *A rebelião das elites e a traição da democracia* (1995).
2. <http://spot.colorado.edu/~pasnau/seminar/berlin.pdf>.
3. Citado em Simon Blackburn, *Verdade: um guia para os perplexos*, p. 76.
4. Citado em ibid., p. 86.
5. Jean-François Lyotard, *A condição pós-moderna*, p. xxiii-xxv.
6. Jean-François Lyotard, *O inumano: considerações sobre o tempo*, p. 34.
7. Ibid., p. 116.
8. Ibid., p. 203-4.
9. Jean Baudrillard, *Simulacros e simulação*, p. 79-80.
10. Ver <http://www.huffingtonpost.co.uk/andrew-jones/want-to-better-understand_b_13079632.html e https://www.nytimes.com/2016/08/24/opinion/campaign-stops/the-age-of-post-truth-politics.html?_r=0>.
11. Para uma crítica conservadora do pós-modernismo, ver Roger Scruton, *Fools, Frauds and Firebrands: Thinkers of the New Left* (2015), p. 237-8.
12. <http://www.politifact.com/truth-o-meter/statements/2015/nov/22/donald trump/fact-checking-trumps-claim-thousands-new-jersey-ch/>.
13. <https://www.theguardian.com/us-news/2015/nov/29/donald-trump-muslims-cheering-911-attacks/>.
14. <http://www.philosophynews.com/post/2015/01/29/What-is-Truth.aspx>.

15. Citado em Jennifer L. Hochschild e Katherine Levine Einstein, *Do Facts Matter? Information and Misinformation in American Politics* (2015), p. 4.

16. <https://www.unc.edu/courses/2009spring/plcy/240/001/Kant.pdf>.

17. Mary Poovey, *A History of the Modern Fact: Problems of Knowledge in the Sciences of Wealth and Society* (1998), p. xvi.

18. <http://www.independent.co.uk/arts-entertainment/books/news/george-orwell-1984-alternative-facts-donald-trump-adviser-kellyanne-conway-amazon-sellout-bestseller-a7548666.html>.

19. George Orwell, *1984*.

20. David Foster Wallace, *Uma coisa supostamente divertida que nunca mais vou fazer* (1997).

21. <http://figureground.org/interview-with-maurizio-ferraris/>.

22. Maurizio Ferraris, *Positive Realism* (2015), p. 33.

23. <http://www.wcp2013.gr/files/items/6/649/eco_wcp.pdf?rnd=1375884459>; Umberto Eco, *Kant e o ornitorrinco* (1998).

24. Blackburn, op. cit., p. 221.

25. Citado em Blackburn, op. cit., p. 209.

....

CAPÍTULO 5| "O FEDOR DAS MENTIRAS": ESTRATÉGIAS PARA DERROTAR A PÓS-VERDADE

1. Para o impacto da nova tecnologia, ver, por exemplo, Adam Alter, *Irresistible: Why We Can't Stop Checking, Scrolling, Clicking and Watching* (2017).

2. <https://www.bellingcat.com>.

3. <https://www.nytimes.com/2017/02/06/business/syria-refugee-anas-modamani-germany-facebook.html>.

4. <http://webfoundation.org/2017/03/web-turns-28-letter/>.

5. <https://www.theguardian.com/media/2017/jan/12/bbc-sets-up-team-to-debunk-fake-news>.

6. <http://www.pressgazette.co.uk/facebook-seeks-stronger-ties-with-news-industry-as-it-launches-journalism-project/>.

7. <http://www.usatoday.com/story/tech/talkingtech/2017/01/24/snapchat-clamps-down-clickbait/96995456/>.

8. <http://www.telegraph.co.uk/technology/2017/02/10/fake-news-killing-peoples-minds-says-apple-boss-tim-cook/>.

9. <http://www.spectator.co.uk/2008/02/charlie-does-surf-meet-the-new-wizard-of-the-web/>.

NOTAS

10. Algumas pessoas ainda acreditam que a ação par a par (P2P) ou o "sinergismo interpares" pode derrotar a pós-verdade. Ver, por exemplo, Layne Hartsell, *Post-Truth: Matters of Fact and Matters of Concern — The Internet of Thinking Together* (2017).

11. <https://www.theguardian.com/politics/2017/feb/26/robert-mercer-breitbart-war-on-media-steve-bannon-donald-trump-nigel-farage>.

12. <https://www.theatlantic.com/technology/archive/2016/12/how-computers-will-help-fact-check-the-internet/509870/>.

13. <http://www.livescience.com/33512-pass-lie-detector-polygraph.html>.

14. Daniel Levitin, *A Field Guide to Lies and Statistics: A Neuroscientist on How to Make Sense of a Complex World* (edição britânica, 2017), p. 253, 216-21.

15. Viktor Mayer-Schönberger e Kenneth Cukier, *Big Data: como extrair volume, variedade, velocidade e valor da avalanche de informação cotidiana* (2013), p. 164-6.

16. Gorman e Gorman, op. cit.

17 <http://www.dailymail.co.uk/health/article-57944/Doctors-want-patient-time-doubled.html>.

18. Ver <http://gking.harvard.edu/50c> e <http://jonathanstray.com/networked-propaganda-and-counter-propaganda>.

19. Alex Evans, *The Myth Gap: What Happens When Evidence and Arguments Aren't Enough?* (2017).

20. Ibid., p. 14.

21. Ver Jonah Sachs, *Winning the Story Wars: Why Those Who Tell — and Live — the Best Stories Will Rule the Future* (2012). Também Brian Boyd, *On the Origin of Stories: Evolution, Cognition and Fiction* (2009).

22. Sachs, op. cit., p. 113.

23. <https://www.theatlantic.com/daily-dish/archive/2008/09/identity-politics-from-milk-to-palin/211892/>.

24. <http://www.vaclavhavel.cz/showtrans.php?cat=clanky&val=72_aj_clanky.html&typ=HTML/>.

25. Ver Václav Havel, *Disturbing the Peace: A Conversation with Karel Hvizdala*, tradução para o inglês de Paul Wilson (1990), Capítulo 5.

26. <http://www.telegraph.co.uk/news/politics/9434096/London-2012-Olympics--Boris-limbers-up-to-join-the-Tory-Olympians.html>.

27. <http://www.thetimes.co.uk/article/we-all-made-a-terrible-mistake-on-migration-hr7qknsx8>.

28. <http://www.independent.co.uk/voices/populism-facts-liberalism-social-media-filter-bubble-a7637641.html>.

29. Lipstadt, *Denial*, op. cit., p. 301.

PÓS-VERDADE

30. Ver Hochschild e Einstein, op. cit., p. 157-8.
31. <http://washingtonmonthly.com/2009/04/10/poseys-delicate-sensibilities/>.
32. <http://www.avclub.com/article/stephen-colbert-13970>.
33. <http://www.telegraph.co.uk/news/2016/10/05/theresa-may-patriotic-speech-conservative-party-conference-live/>.
34. Citado em Hochschild e Einstein, op. cit., p. 164.
35. <http://www.parliament.uk/business/committees/committees-a-z/commons-select/culture-media-and-sport-committee/news-parliament-2015/fake-news-launch-16-17/>.
36. Ver Thaler e Sunstein, op. cit.; e Robert Cialdini, *Influência: a psicologia da persuasão* (2008).
37. Hochschild e Einstein, op. cit., p. 156-7.
38. "A educação sozinha é insuficiente, dada a inércia e os incentivos para permanecer com o grupo de alguém que utiliza a desinformação de maneira ativa" — Hochschild e Einstein, op. cit., p. 150.
39. Citado em Hochschild e Einstein, op. cit., p. 166.
40. John le Carré, *O peregrino secreto* (1990), p. 336.
41. Winston Churchill, *Minha mocidade* (segunda edição, 2011).
42. <http://www.americanrhetoric.com/speeches/mlktempleisraelhollywood.htm>.
43. Para um brilhante relato do discurso de posse de Kennedy, ver Thurston Clarke, *Ask Not: The Inauguration of John F. Kennedy and the Speech that Changed America* (2004).
44. Ver Walter Isaacson, *Benjamin Franklin: uma vida americana* (2015), p. 459.

AGRADECIMENTOS

É a verdade verdadeira que este livro não teria sido escrito — não por mim, de todo modo — sem a cirurgia de emergência de Adrian Steger e sua equipe do Hospital Universitário Lewisham. Agradeço-lhes do fundo do meu coração.

Meu segundo agradecimento vai para o meu brilhante editor Andrew Goodfellow, que acredita em ideias, diálogo intelectual e seu relacionamento com a vida diária. Foi muita sorte trabalhar com ele e com seus colegas da editora Ebury: Sarah Bennie, Clarissa Pabi, Laura Horsley, Michelle Warner, Richard Collins e Ruth Killick. David Eldridge, da Two Associates, fez um trabalho incrível em relação à arte de capa.

Minha incomparável agente, Caroline Michel, é fonte de inspiração, além de amiga de verdade e mentora. Agradeço a ela, a Kate Evans e Tessa David, suas colegas da agência literária Peters Fraser and Dunlop.

Muitos amigos atuaram como torcedores, apoiadores morais e orientadores: Sarah e Johnnie Standing, Dylan Jones, sir Evelyn de Rothschild, D-J Collins, John Cleese, Julia Hobsbawm, Tessa Jowell (que foi bastante amável ao me mostrar as anotações inestimáveis sobre a pós-verdade que ela usou como professora em Harvard), Sarah Sands, John Patten, Jane Miles, Matthew Norman, Andy Coulson, Melissa Kite, Martin Ivens e Anne McElvoy, sir Craig Oliver, Rafael Behr e Simon Mason.

Como sempre, minha maior dívida de gratidão é com a minha família: meus irmãos, Pad e Mick, deram-me apoio irrestrito. É incrível, para mim, que meus filhos, Zac e Teddy, sejam agora adolescentes (e mais altos do que eu): eles são, e sempre serão, o centro da minha vida.

Após quase meio século, meu pai ainda é uma fonte generosa e sem fim de sabedoria, paciência, humor e amor — e um herói para mim. Não consigo agradecer-lhe o suficiente.

Este livro é dedicado à minha querida mãe, que se comprometeu com a verdade de uma maneira que não conheci em nenhuma outra pessoa. Sinto falta dela e penso nela todos os dias.

CONHEÇA TAMBÉM:

HÁ UMA CONSPIRAÇÃO MUNDIAL E ELA NÃO É SECRETA. ESTÁ DIANTE DE NOSSOS OLHOS. AQUI, OS AUTORES APRESENTAM OS FATOS.

Sempre ouvimos teorias sobre conspirações guiando o mundo, comandadas pelo *establishment* político, ditadas por sociedades secretas, confrarias, religiões e organizações à sombra do Estado. No entanto, nunca nos apresentam provas nem documentos que atestem a real existências das tramas.

Este livro mostra que, além de existirem, não se trata de algo secreto nem discreto, mas de uma guerra aberta, declarada e constante, que nos distrai com sua tática de colocar socialistas contra liberais, esquerda contra direita, capitalismo *vs* comunismo. Fomos divididos em torcidas de uma falsa disputa e os que realmente vencem nem precisam entrar em campo, sempre estiveram juntos em um terceiro lado, que não estava disputando nada, apenas nos ocupando enquanto mantinham o poder.

São os grandes banqueiros e elites globais que dirigem o mundo. Não à toa eles se vendem como socialistas, benevolentes e altruístas, há método nisso tudo: decidem as opções que você tem para votar, em que causas acredita, quais alimentos são saudáveis e o que deve consumir em todos os aspectos: bens móveis, imóveis e culturais.

Famílias como Rockefeller, Morgans, Rothschilds e grupos como Bildeberg, Frankfurt e outros super-ricos são os personagens daqui, sempre ligados a figuras como Lênin, Trótski, Mao Tsé-Tung, Hitler, Karl Marx e tantos outros. Com as revelações apresentadas, pode-se decidir, com mais consciência, de quais causas, movimentos e ideais realmente vale a pena participar.

ASSINE NOSSA NEWSLETTER E RECEBA INFORMAÇÕES DE TODOS OS LANÇAMENTOS

www.faroeditorial.com.br